流浪的地球

The Wandering Earth

刘慈欣◎著

浙江教育出版社·杭州

和银火箭一起畅游未来世界

刘慈欣

科幻小说是一种类型文学，是在尊重科学结论的基础上进行合理设想（而非妄想）创作出的小说。优秀的科幻小说必须具备“逻辑自洽”“科学元素”“人文思考”三个要素。

科幻小说和儿童文学离得很近。科幻小说涉及的探险主题、主宰自我命运的精神，一直是儿童文学所珍视和推崇的。从全世界范围看，写科幻小说的作家通常也写少年科幻小说，许多著名的科幻作家都写出了优秀的少年科幻作品，比如法国科幻作家凡尔纳，20世纪的科幻三巨头海因莱因、阿西莫夫、克拉克等，他们的作品对儿童文学的发展起到了很大的推动作用。

除了具备科幻小说的三个要素，少年科幻小说还具有三大特点。第一，少年科幻小说的整体精神都很正向。故事里的主人公总是在不断地学习，不停地进取。在他们的心中，只有宇宙才是人类最后的边疆，他们不停地探索无穷的未知世界。第二，少年科幻小说饱含童心，能够吸引孩子们关注科学技术，探索宇宙奥秘。今天的许多科学技术，正是受科幻小说中的想象力启发，进而发展来的。第三，少年科幻小说里的主人公都充满智慧，非常勇敢。他们坚信人类可以通过科技认识自然和宇宙，能够创造出种种新发明、新技术，开创幸福的生活。总而言之，很多少年科幻故事的内核都非常正向，少年儿童通过阅读少年科幻小说，成长过程会变得更加阳光。

这套书之所以叫“银火箭”，也是为了突出少年科幻小说中这种积极乐观的精神。少年们坚信人类能在宇宙中很好地生存下去，能自由穿越虫洞四处航行，能亲眼见证宇宙中最精彩的奥秘。少年科幻文学的终极目标就是去证明人类身上还具有尚未老去的想象力。“银火箭”的主题很明确——就是积极乐观、高科技、新发明，很好地体现了少年科幻小说上述三大特点。丛书中有很多与科技相关的故事，也体现着积极乐观的精神和天马行空的想象力。

“银火箭”里有不少有趣的创造和发明，其中很多已经实现了，有一些很快也会变成现实。对孩子们来说，最激动人心的不仅仅是能让生活变得更加舒适和便利的科学技术，还应该有开拓外太空的相关技术，一个很特别的例子就是《流浪的地球》。

《流浪的地球》从太空技术的视角探讨地球未来的多种可能性，讲述了太阳即将毁灭，人类在地球表面建造出巨大的推进器，把地球当作交通工具，向宇宙深处航行、寻找新家园的故事。航行的路上危机四伏，人类为了能在2500年后抵达新家园，开始了争分夺秒的战斗。《流浪的地球》所讲述的地球未来，是生存环境非常严酷的未来；在种种关于地球未来的设想中，“流浪的地球”是其中一种可能的设想。但是，《流浪的地球》也对未来保持着开放的态度，让更多少年读者和科学家们来提供答案。说到底，《流浪的地球》描写的是对宇宙的敬畏感、对新世界的好奇心，希望这个心愿可以在未来的某个时空中得以实现。

希望“银火箭”陪伴我们一起，去看看未来是什么样子！希望在“银火箭”的陪伴下，更多的小读者能用想象力，去为人类争取更美好的未来！

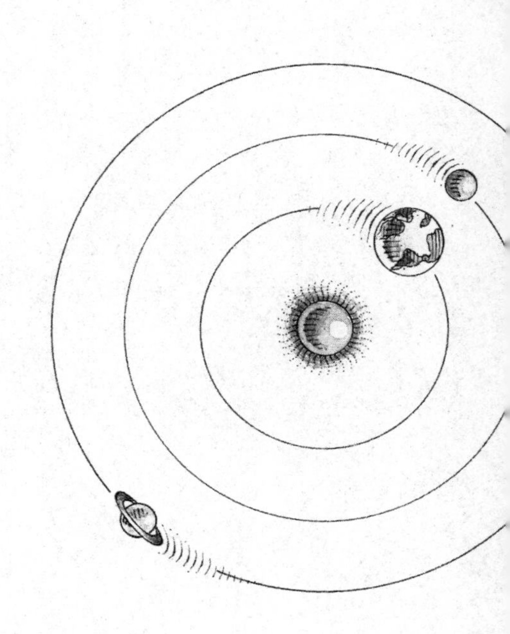

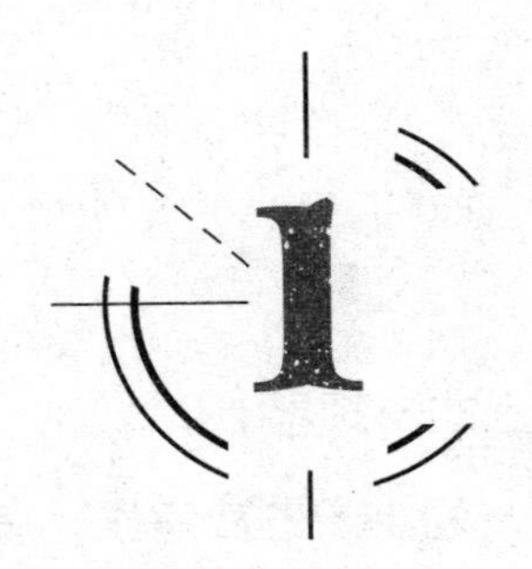

超新星纪元

（故事情节纯属虚构）

引　子

这时，地球是天上的一颗星。

城市灯火辉煌。一间小学的教室里，有个班级正在开毕业晚会。每到这种时刻，孩子们总会畅谈自己的理想，这次也不例外。

班主任郑晨是一名年轻的女教师，她问身边的一个女孩儿：“晓梦，你呢？你长大想干什么？”那女孩儿一直静静地看着窗外想心事，她穿着朴素，眼睛大而有神，透出一种与年龄不相称的忧郁和成熟。

“家里经济困难，我将来只能读职业中学了。”她轻轻地叹了一口气说。

“那华华呢？”郑晨又问。这个叫华华的男孩很帅，一双大眼睛总是闪烁着惊喜的光芒，仿佛世界每时每刻都是一团升腾而起的五彩缤纷的焰火。

“未来太有意思了。我一时还想不出要干什么，但不管干什么，我都要成为最棒的！”

“其实说这些都没什么意思，”一个瘦弱的男孩儿说。他叫严井，因为戴着一副度数很高的近视镜，大家都管他叫“眼镜”，“未来是不可预测的，什么事情都可能发生。”

华华说：“用科学的方法就可以预测，有未来学家呀。”

“眼镜”摇摇头，说：“正是科学告诉我们未来是不可预测的。那些未来学家以前做出的预测没有多少是准的，因为世界是一个混沌系统。混沌系统，三点水的‘混沌’，不是可以吃的‘馄饨’。”

“这你好像跟我说过。这边的蝴蝶拍一下翅膀，就会在地球那边引发一场风暴。”

“眼镜”点点头：“是的，这是混沌系统的一个表现。”

华华说：“那我的理想就是成为那只蝴蝶。”

“眼镜”又摇了摇头，说：“你根本没明白这个系统的原理。其实，在这个系统中，我们每个人都是‘蝴蝶’，每只蝴蝶都是‘蝴蝶’，每粒沙子和每滴雨水都是‘蝴蝶’，所以世界才不可预测。”

“同学们，”这时，班主任站起身来说，“让我们最后看看自己的校园吧！”

于是孩子们走出了教室，同他们的班主任老师一起漫步在校园中。校园里的灯大多灭了，都市的灯光从四周远远地照进来，使校园里的一切都显得宁静而朦胧。孩子们走过了两幢教学楼，走过了办公楼，走过了图书馆，最后穿过那排梧桐树，来到操场上。这43个孩子站在操场的中央，围着他们年轻的班主任。郑晨张开双臂，对着因灯光而暗淡的星空说：

“孩子们，童年结束了。”

这似乎是一个很小的故事。43个孩子，将离开这座宁静的小学校园，各自继续他们刚刚开始的人生旅程。

这似乎是一个极普通的夜晚。在这个夜晚，时间一如既往平静地流动着。“人不可能两次进入同一条河流”不过是古希腊人的梦呓，在大多数人的心中，时间一直是同一条“河流”，以永恒的节奏流个没完。所以，即使在这个夜晚，在这颗名为地球的行星上，这些被称作“人”的碳基生物，在时间长河永恒的慰藉下，仍能编织着已延续了无数代人的平静的梦。在这个普通的小学校园的操场上，43个13岁的孩子同他们年轻的班主任一起，仰望星空。

苍穹之上，冬夜的星座：金牛座、猎户座和大犬座已沉入西方的地平线下；夏夜的星座：天琴座、武仙座和天秤座早已出现。一颗颗星星如一只只遥远的眸子，从宇宙无边的夜海深处一眨一眨地看着人类世界。只是在今夜，这来自宇宙的目光有些异样。这时，人类所知道的历史已走到了尽头。

一　死　星

在地球周围十光年的太空里，存在着大片的星际尘埃，这些尘埃像是飘浮在宇宙的夜海中的乌云。正是这片星际尘埃，挡住了一颗距地球八光年的恒星。这颗恒星的直径是太阳的23倍，质量是太阳的67倍。现在，它已进入了漫长演化的最后阶段，离开主星序，步入自己的晚年期，我们称之为“死星”。

即使它有记忆，也无法记住自己的童年。它诞生于五亿年前，它的母亲是另一片星云。经过剧变的童年时代和骚动的青年时代，核聚变的能量顶住了恒星外壳的坍缩，死星进入了漫长的中年期。银河系广袤的星海因它又多了一个平静的光点。

但如果飞近死星的表面，就会发现这种平静是虚假的。这颗巨星的表面是核火焰的大洋，炽热的火形成巨浪，发出红光并咆哮着、撞击着，把高能粒子暴雨般地撒向太空；大到无法想象的能量从死星的深处涌上来，在广阔的火海上翻起一团团刺目的涌浪；火海之上，核能的台风一刻不停地刮着，暗红色的等离子体在强磁场的扭曲下，形成一根根上千万千米高的龙卷风柱……死星的亮度在人类看来应该是很亮的，它的视星等（指观测者用肉眼所看到的星体亮度）是-7.5，如果不是它前方三光年处那片星际尘埃挡住它的话，那将有一颗比最亮的恒星——天狼星还亮五倍的星星照耀着人类的历史。

现在，这颗死星平静地燃烧了四亿六千万年，然后在引力作用之下坍缩成了一个致密的小球，组成它的原子在大压强下被压碎：首先坍塌的是核心，随后失去支撑的外壳也塌了下来，并猛烈地撞击致密的核心，一瞬间点燃了最后一次核聚变。

五亿年引力和火焰的史诗结束了，一道雪亮的闪电撕裂了宇宙。死星化作亿万块碎片和尘埃。强大的能量化为电磁辐射和高能粒子的洪流，以光速涌向宇宙的各个方向，并在死星爆发的三年后，轻而易举地推开了那片星际尘埃，向太阳系扑来。

死星的强光越过了人马座的“三叶星云”后，又在冷寂而广袤的外太空行走了四年，最终到达了太阳系的外围（这时，那个班的毕业晚会刚刚开始）。

死星的强光很快越过了海王星和天王星，使它们的星环变得晶莹透明；越过土星和木星时，高能粒子的狂风在它们的表面掀起一阵磷光；死星的能量到达月球时，哥白尼环形山和雨海地区发出一片刺眼的白光。一秒后，在太空中行走了八年的死星的能量到达地球。

二　夜空骄阳

到中午了。

这是孩子们视力恢复后的第一个想法。刚才的强光出现得太突然，仿佛有谁突然打开了宇宙中一盏大电灯的开关，使他们暂时失明了。

这时是22时18分，但孩子们确实站在犹如正午的晴空之下！抬头看看这万里碧空，他们倒吸了一口冷气。这天空蓝得惊人，蓝得发黑，如同超还原的彩色胶卷记录的色彩。城市被“阳光”照得一片雪亮，看着那个“太阳”，孩子们失声惊叫起来。

那不是我们所说的“太阳”！

夜空中突然出现的强光使孩子们无法直视那个“太阳”。他们从指缝中瞄了几眼，发现那个“太阳”不是圆的，它甚至没有形状。事实上，从地球上看去，它和星星一样，是一个光点。但由于它发出的光极强(几乎比太阳多出一倍)，光芒又被大气散射，看上去就像悬在西天的一个巨大而刺目的毒蜘蛛。操场上的孩子们还没回过神来，空中就出现了闪电，这是死星的射线电离大气造成的。长长的紫色电弧出现在纯蓝的天空中，越来越密，雷声震耳欲聋。

“快！回教室去！！”郑晨喊道。孩子们捂着耳朵向教学楼跑去，雷声一阵阵地在他们头顶炸响，仿佛整个世界都在分崩离析。跑进教室后，孩子们都挤在老师周围瑟瑟发抖。死星的光芒从一侧窗中射进来，在地板上投下明亮的方形；另一侧窗则透进闪电的光，那蓝紫色的电光在教室的那一边急速闪动。空气中充满了静电，衣服上的金属小件都噼噼啪啪地闪起了小火花；人们皮肤上的汗毛都竖了起来，使人觉得浑身痒痒；周围的物体都像长了刺似的扎手。死星在天空中照耀了1小时25分钟后，突然消失了。现在，只有巨大的射电望远镜阵列才能探测到死星的遗体——一颗飞速旋转的中子星，它有规律地发出电磁脉冲。

孩子们把脸贴在教室的窗玻璃上，目睹这场没有太阳的日落，这最怪异的黄昏。他们看到，天空的蓝色渐渐变深，很快变成了夜幕降临时的蓝黑色——这是死星的光芒在收敛，它的周围形成了一片曙暮光。这曙暮光最初占据了半边天，很快缩至死星的周围，色彩由蓝紫色过渡到白色，这时天空的大部分已黑了下来，星星一点点地开始出现。死星周围的光晕继续缩小，最后完全消失。这时，死星已由一个光芒四射的光源变成了一个亮点，当满天星斗重现时，它仍是最亮的一颗星，随即它的亮度继续减弱，成了银河系中一颗普通的星星，五分钟后，死星完全消失在宇宙中。

看到闪电停了，孩子们跑出教室。他们发现自己置身于一个荧光世界中，在黑色的夜空下、外面的一切：树木、房屋、地面……全都发出蓝绿色的荧光，仿佛大地和它上面的一切都变成了半透明的玉石，而大地的深处有一个月亮似的光源照过来，把它的光亮浸透于玉石之中。夜空中悬浮着发着绿光的云朵，被死星惊动的鸟群像一群发着绿光的精灵飞快地掠过天空。最让孩子们震惊的是，他们自己也发着荧光，在黑暗中看上去如负片（经曝光、显影等处理后的胶片，也称底片）上的图像，像极了一群幽灵。

“我说过嘛，什么事情都可能发生的……”“眼镜”喃喃地说。

这时，教室里的灯亮了，学校周围城市的灯光也相继亮了起来，孩子们这才意识到刚才停电了。随着灯光的出现，那无处不在的荧光消失了。孩子们原以为世界恢复了原状，但他们很快发现让人震惊的事情还没有完。

在东北方向的天边有一片红光。过了一会儿，那片天空升起了一片散发着暗红色光芒的云层，像刚刚出现的朝霞。

“这次天是真的亮了！”

“胡说，还不到半夜12点呢！”

那红云浩浩荡荡地飘过来，很快就覆盖了半个夜空。孩子们这才发现，那云本身就会发光。他们看到它是由一条条巨大的光带组成的，像是从太空中垂下的无数条红色的帷幔，在缓缓地扭动、变幻。

“是北极光呀！”有孩子喊。

由死星电离辐射产生的极光很快布满了整个天空。在之后的两天里，东半球的夜空一直涌动着红色的光幔。

在死星出现的那个位置，浮现出一小片的发光星云！这是超新星爆发后留下的尘埃，死星残骸发出的高能电脉冲激发了它，使其在可见光波长范围内发出同步加速辐射，人类这才能看到它。星云现在还很小，乍看像一颗昏暗的星星，仔细端详才能看出形状。它在缓慢地长大，根据它的形状，人们称它为“玫瑰星云”。

从此，玫瑰星云将照耀着人类，直至人类——这个继恐龙之后统治地球的物种毁灭或永生。

三　山谷世界

死星的出现对人类世界来说无疑是一件大事。从天文学的角度来讲，说这次超新星爆发“近在眼前”还不准确，应该是“近在睫毛上”。但到了第二天，普通人又重新埋头于自己的生活了，他们对超新星的兴趣，仅限于玫瑰星云长到了多大，形状发生了什么变化。这种关注已是消闲性质的了。

超新星爆发后的第三天，郑晨接到了校长的一个紧急通知，让她集合已放假的毕业班学生。郑晨觉得很奇怪，按说这个班已正式毕业，与她以及学校都没有什么关系了。当这个班的43个孩子又在他们的母校集合后，他们发现操场上有一辆大客车在等着。车上下来三个人，其中的负责人叫张林，校长介绍说他们来自中央非常委员会。

“非常委员会？”这个机构名称让郑晨感到很困惑。

“是一个刚成立的机构，”张林简略地说，“您这个班的孩子要有一段时间不能回家了。我们负责通知他们的家长，您对这个班比较熟悉，和他们一起去吧。不用拿什么东西了，现在就走。”

“这么急？”郑晨吃惊地问。

“时间紧。”张林简略地说。

载着43个孩子的大客车出了城，一直向西开。张林坐在郑晨的旁边，一上车就仔细地看这个班的学生登记表，看完后两眼直视着前方，沉默不语。另外两个年轻人也是一样，看着他们凝重的神色，郑晨也不好问什么。这气氛也感染了孩子们，他们一路上很少说话。车继续向西开，一直开到西山，又在僻静的山间公路上开了一会儿，来到一个山谷里。山谷两边的山坡很平缓，到深秋，这里可能会有很多红叶，但现在还是一片绿色。谷底流着一条小河，挽起裤脚就能走过去。

车停在公路旁的一块空地上，这里已经停了一大片客车，都与他们所乘坐的一模一样。郑晨和她的学生们下了车，看到这里已聚集了很多孩子，可能有上千名。他们看上去年龄都与这个班的孩子差不多。

一位负责人站在一块大石头上大声讲话：“孩子们，现在我告诉你们此行的目的——我们要做一场大型游戏！”

他显然不是一个常与孩子打交道的人，说这话时一脸严肃，没有一点儿做游戏的样子。但他的话依然在孩子们中引起了一阵兴奋的骚动。

“你们看，”他指指这个山谷，“这就是我们做游戏的场地。你们24个班级，每个班级将在这里分到一块地，面积有三四平方千米，是很大的一块地。你们每个班将在这块土地上——听着，将在这块土地上建立一个小国家！”

最后这句话吸引了孩子们的注意力，上千双眼睛一动不动地聚焦在他身上。

“这个游戏为期15天，这15天时间你们将生活在分配给你们的‘国土’上！”

孩子们欢呼起来。

“安静、安静！听我说，在这24块国土上，已经放置了必需的生活物资，如帐篷、行军床、燃料、食品和饮用水，但这些物资并不是平均分配的，有的国土上帐篷比较多，食品比较少，有的则相反。但有一点可以肯定：每块国土上总的生活物资的数量，是不够维持这么多天的生活的，你们将通过以下两个渠道获得生活物资：

一、贸易。你们可以用自己多余的物资来换取自己短缺的物资。但即使这样，仍不可能使你们在小国家里维持15天的生活，因为生活物资的总量是不够的，这就需要你们生产。

二、生产。这将是你们在小国家中主要的活动和任务。生产是在你们的国土上开荒，在开好的地上播下种子并浇上水。当然不可能等到田地里长出粮食，但根据你们开垦出的土地的数量和播种灌溉的质量，将能从游戏的指挥组换到相应数量的食品。24个小国家是沿着这条小河分布的，它是你们的共同资源，你们将用小河的水灌溉开垦出来的土地。

国家的领导人由你们自己选举。每个国家有三位最高领导人，权力相当，国家的最高决策由他们共同做出。国家的行政机构由你们自己设置，你们自己决定国家的一切：如建设规划、对外政策等。国家的公民可以自由流动，你觉得哪个国家好就可以去哪个国家。

下面就到分配给你们的国土上去，首先给你们的国家起个名字，报到指挥组来，剩下的都是你们自己的事了。我只想告诉你们，这场游戏的限制很少很少，孩子们，这些小国家的命运和未来掌握在你们手里，希望你们把自己的小国家建设成繁荣富强的国家！”

这是孩子们见过的最棒的游戏了，他们一哄而散，纷纷奔向自己的国土。

在张林的带领下，郑晨的班级很快找到了他们的国土，在这个被白色栅栏围起来的区域里，河滩和山坡各占了一半面积，在两者的交接处整齐地堆放着帐篷和食品等各种物资。孩子们跑到那堆物资中翻腾起来，把张林和郑晨甩在后面。郑晨听到孩子们发出一阵惊呼声，然后围成一圈看着什么。她挤进去向地上一看，顿时像见了鬼一样。

在一块绿色的篷布上，整齐地摆放着一排冲锋枪。

郑晨对武器比较陌生，但她确定这些不是玩具。她弯腰拿起其中的一支，感到了沉甸甸的重量和金属的质感，闻到了一股枪油的味道，那钢制的枪身散发着冷森森的蓝色光泽。她看到旁边还有三个绿色的金属箱，一个孩子打开其中的一个，露出了黄灿灿的子弹。

“叔叔，这是真枪吗？”一个孩子问刚走过来的张林。

“当然。这种微型冲锋枪是我军最新装备的制式武器，它体积小、重量轻，枪身可折叠，很适合孩子使用。”

“哇……”男孩子们兴奋地去拿枪。郑晨厉声说：“别动！谁也不许碰这些东西！”然后转向张林质问，“这是怎么回事？”

张林淡淡地说：“作为一个国家，必需的物资中当然包括武器。”

“你刚才说，适合孩子们……使用？”

“呵，你不必担心，”张林笑笑说，弯腰从金属弹药箱中拿出一排子弹，“这种子弹是没有杀伤力的，它实际上是粘在一小片塑料两侧的两小团金属丝，分量很轻，射出后速度很快减慢，击中人体也不会造成伤害。但这两团金属丝带有很强的静电，击中目标时会产生几十万伏的电压，会把人击倒并使其失去知觉。但它的电流强度很小，被击中的人会很快恢复知觉，不会造成永久伤害。”

“被电击怎么会不造成伤害？”

“这种弹药最初是警用的，进行过大量的动物和人体试验。一些国家的警察早在20世纪80年代就有过大量的使用案例，从没有造成伤亡。”

“如果打到眼睛上呢？”

“可以戴上护目镜。”

“如果被击中的人从高处摔下来呢？”

“我们特别选了比较平缓的地形……当然，绝对保证安全是很难的，但受伤的概率确实很小。”

“你们真的要把这些武器交给孩子们，并允许他们对别的孩子使用？”

张林点点头。

郑晨的脸色变得苍白：“不能用玩具枪吗？”

张林摇摇头：“战争是国家历史中不可缺少的组成部分，我们必须尽可能制造出一种真实的氛围。这样得出的结果才可靠。”

“结果？什么结果？！”郑晨惊恐地盯着张林，像在看一个怪物，“你们到底要干什么？！”

“郑老师，您冷静些，我们已经做得很节制了。据可靠情报，有一半国家让孩子们使用实弹。”

“一半国家？全世界都做这种游戏？！”

郑晨恍惚地往四下看，似乎在确定她是不是处在噩梦中，然后努力使自己平静下来，撩了一下额前的乱发说：“请送我和孩子们回去。”

“这不可能，这个地区已经戒严了，我对您说过这个工作极其重要……”

郑晨的情绪失去了控制：“我不管这些，我不允许你们这样做。作为一名教师，我有自己的责任和良心！”

“我们也有良心，还有更重要的责任，正是这两样东西迫使我们这样做。”张林真诚地看着郑晨，“请相信我们。”

“送孩子们回去！”郑晨不顾一切地大喊。

“请相信我们。”

这不高的话音是从郑晨身后传来的，她觉得这声音很熟，但一时又想不起在哪儿听过。看到面前的孩子们都在呆呆地看着她身后的方向，她也转过身来。当她看清这些人是谁时，更觉得自己不是在现实中了，这反而使她平静下来。这些人中，她认出了后面几位在电视上常见到的高级领导人，但她最先认出的是站在最前面的两个人。

他们是主席和总理。

“感觉自己在噩梦中，是吗？”主席神情和蔼地问。

郑晨说不出话，只是点点头。

总理说：“这不奇怪。一开始，我们也有这种感觉，但很快就适应了。”

主席的一句话使郑晨多少清醒了点，他说：“你们的工作很重要，关系到国家和民族的命运，以后我们会对大家解释清楚这一切。到那时，郑老师，你会为你以前和现在所做的工作感到自豪的。”

这一行人又向相邻的小国走去。总理走了几步又停下来，转身对郑晨说：“年轻的老师，现在你要明白的只有一点：世界已不是原来的世界了。”说完，他就走了，留下郑晨茫然地站在原地。

孩子们完全没有被老师的情绪影响，已经开始玩游戏了。

“同学们，给我们的小国家起个名字吧！”“眼镜”建议。

这时，太阳已从山脊升起，给山谷撒下了一层金辉。

“就叫太阳国吧！”华华说。看到大家一致赞同，他又说：“我们要画一面国旗。”

于是孩子们从那堆物资中找到一块白布，华华从带来的书包中拿出一支粗记号笔，在上面画了一个圆圈，晓梦也拿过笔来，在太阳中画上了一双大大的眼睛和一张笑嘻嘻的嘴巴，又在太阳的周围画上了象征光芒的放射状线条，这面国旗得到了孩子们的认可。到超新星纪元时，这面稚拙的国旗被作为珍贵的历史文物保存在国家历史博物馆。

“国歌呢？”

“就用少先队的队歌吧。”

当太阳完全升起时，孩子们在他们小小的国土中央举行了升旗仪式。

仪式结束后，张林问华华：“为什么首先想到设计国旗和国歌呢？”

“国家总得有一个，嗯——象征吧，这样大家才有凝聚力！”

张林在笔记本上记下了些什么。

“我们做得不对吗？”有孩子问。

张林说：“已经说过，你们自己决定这里的一切，照自己想的去做。我的任务只是观察，绝不干涉你们。”他又对旁边的郑晨说：“郑老师，你也要这样。”

然后孩子们选举国家领导人，华华、“眼镜”和晓梦顺利当选。华华让吕刚组建军队，结果班里的25个男孩子全是军队成员，其中有20个男孩子领到了冲锋枪。吕刚安慰那五个没领到枪而怒气冲冲的男孩儿，答应他们这些天大家轮流拿枪。晓梦则任命林莎为卫生部负责人，让她管理生活物资中的所有药品并给可能出现的病人看病。至于其他的机构，孩子们决定在国家的运行过程中根据需要建立。

然后孩子们开始在新国土上安家。他们清理空地并在上面支起帐篷，当几个孩子钻进刚支起的第一顶帐篷时，它就倒了下来，把孩子们盖到里面。孩子们费了好大劲儿才钻出来，但这也让他们很开心。到中午时，他们终于成功支起了几顶帐篷，把行军床搬进去后，算是基本安顿下来了。

做午饭前，晓梦建议把所有的食品和饮用水清点一下，对每天的消耗量做一个详细的计划：头两天，应当尽量减少食品消耗，因为开荒时，劳动强度加大，大家会吃得更多；还要考虑到可能会出现因为开荒不顺利，不能从指挥组那里及时换到食品的情况。孩子们干了一上午活儿，胃口都出奇的好，现在不让敞开吃，大家都很有意见。晓梦晓之以理，耐心地说服了大家。

张林在旁边默默地观察着这一切，又在本子上记了些什么。

饭后，孩子们走访了邻国，与他们进行了一些易货贸易，用多余的帐篷和工具换来了较短缺的食品。同时，他们还了解了自己国家所处的位置：他们在小河这一侧上游的邻国是银河共和国，下游的邻国是巨人国，小河正对岸是伊妹儿国，上下游分别是蓝花国和毛毛虫国（都以本国国土上的特色物产命名）。山谷中还有18个小国家，距离较远，孩子们不太感兴趣。

其后的一天一夜是山谷世界的黄金时代，孩子们很兴奋，对新生活充满了热情。第二天，所有的小国家都开始在山坡上开荒，孩子们使用铁锹和锄头等简单的工具，用塑料桶从小河里提水浇地。晚上，小河边燃起一堆堆篝火，山谷中回荡着孩子们的歌声和笑声，这完全是一个童话中美丽的田园国度。

但童话世界很快消失了，灰色的现实又回到了山谷。

随着新鲜感的消失，开荒劳动的强度开始显现。一天干下来，孩子们累得筋疲力尽，回到帐篷里倒在行军床上不想起来；晚上山谷中一片寂静，再也没有歌声和笑声了。

小国家之间自然资源的差别也显现出来。虽然相距不远，但有的国土土质松软，容易开垦，有的则全是乱石，费半天劲也开不出多少地来。太阳国的国土属于贫瘠之列，不但山坡上土质极差，而且河滩太宽。指挥组有一个规定：较平整的河滩只能作为居住地使用，开荒必须在山坡上进行，在河滩上开出的地不被认可。有的国土山坡距小河较近，可以排成一条人链向山坡上传递水桶浇地，这是一个高效省力的办法。但太阳国宽宽的河滩拉大了小河与山坡的距离，排不成人链，只能单人一桶桶地向坡上提水，劳动强度增强了许多。

“眼镜”这时提出了一个建议：在小河中用大石块筑一道坝，河水可以从坝上漫过或从石块的缝隙中流走，但水位也相应抬高了；再在山坡下挖一个大坑，用一条小水渠把河水引到坑里。这个建议被大家认可，于是太阳国抽调了10名壮劳力参加工程建设。

工程一开始就遭到了巨人国和蓝花国的强烈抗议。虽然“眼镜”反复向他们解释坝的作用，但这两国死活不答应。华华主张不理睬他们，工程照常进行。但晓梦仔细考虑后认为：应该搞好与邻国的关系，从长远考虑，不能因小失大，而且小河是公共资源，与它有关的事情大家自然都很敏感，太阳国应该在山谷世界中树立起自己良好的形象。“眼镜”则从实力方面考虑，虽然吕刚一再承诺一旦与两国冲突，军队能保证国家的安全，但对手毕竟是两个国家，轻率挑起冲突是不理智的。于是，太阳国放弃了原工程计划，改挖了一条引水渠。虽然挖水渠要比原计划增加一倍的工作量，引到山脚下坑里的水也比较少，但还是提高了开荒效率。

现在，太阳国似乎引起了指挥组的注意，派驻太阳国的观察员除张林外又增加了一个人。

第三天，纠纷和冲突在山谷世界急剧增多，大部分都是由自然资源分配和易货贸易引起的。孩子们对冲突的调解没有什么技巧和耐心，山谷中开始出现枪声。一开始这些冲突都局限在小范围内，还没有扩大到整个山谷世界。在太阳国这一带，局势相对稳定，但当天下午由饮用水引起的冲突彻底打破了这种稳定。

小河中的水浑浊不堪，不能饮用，而山谷世界中随生活物资配发的饮用水数量是一定的，且分配不匀，有的小国家占有的饮用水数量是其他小国家的几倍甚至十几倍，这种分配的差别远大于其他物资，显然是策划者有意设置的。开荒的成果只能换粮食而不能换饮用水，所以第二天以后，饮用水成了一些小国家生存下去的关键，自然也成了冲突的焦点。在太阳国周围的五国中，银河共和国占有的饮用水量最大，是其他小国家的近十倍。它斜对面的毛毛虫国的饮用水首先被耗尽，那个小国家的孩子干什么都无计划，挥霍无度，开始因懒得去河里取水，洗脸、洗手都用饮用水，结果早早就陷入困境。于是他们只好与银河共和国谈判，想通过易货贸易来换取饮用水，但对方提出的要求让他们绝对无法接受：银河共和国要毛毛虫国用土地换水！

这天夜里，太阳国从对岸的伊妹儿国那里得知，毛毛虫国向他们借枪，一借就是10支，还借子弹，并声称如果不借就向他们开战。毛毛虫国的45个孩子中有37个男孩子，军力雄厚；伊妹儿国正相反，三分之二是女孩儿，根本打不了仗，他们不想惹麻烦，加上毛毛虫国答应他们的优厚条件，就把枪和子弹借给他们了。第二天中午，毛毛虫国的国土上响起了枪声，那是男孩子们在学习射击。

在太阳国紧急召开的国务会议上，华华这样分析形势："毛毛虫国肯定要发起对银河共和国的战争。从军事实力上看，银河共和国肯定会败，然后被毛毛虫国吞并。毛毛虫国本来就有大片优良的山坡地，再加上银河共和国的饮水和武器，那就十分强大了，迟早要找我们的麻烦，我们应该及早准备才好。"

晓梦说："我们应该与伊妹儿国、巨人国和蓝花国结成联盟。"

华华说："既然这样，我们还不如趁战争还没爆发，把银河共和国也拉入联盟，这样毛毛虫国就不敢发动战争了。"

"眼镜"摇摇头说："世界战略格局的基本原理是势力均衡，你们违反了这个原理。"

"大博士，你能不能说明白些？"

"一个联盟，只有面对与自己实力相当的威胁时，才是稳定的，面对的威胁太大或太小，这个联盟就会解体。其他国家都离我们较远，我们六国是相对独立的系统。如果银河共和国也加入联盟，那毛毛虫国就找不到结盟国家，必然陷入了绝对的劣势，对联盟构不成威胁，联盟也就不稳定。再说，银河共和国自恃有大量的饮用水，会认为我们打它水的主意，也不会真心与我们结盟。”

大家都同意“眼镜”的看法，晓梦问:“那其他三个国家愿意与我们结盟吗？”

华华说:“伊妹儿国没有问题，他们已经感觉到了毛毛虫国的威胁；至于另外两个国家，由我去说服他们。结盟符合他们的利益，加上在前面的水坝纠纷中，我国给他们留下了很好的印象，我想问题不大。”

当天下午，华华出访相邻三国。他发挥了卓越的口才，很快说服了相邻三国的领导人。他们在三国交界处的小河边开会，正式成立四国联盟。

这之后，派驻太阳国的观察员又增加了一个人。

指挥组设在山顶上的一个电视转播站里，从这儿可以俯视整个山谷。四国联盟成立的这天晚上，郑晨来到转播站的小院外。

现在，玫瑰星云在空中的可视面积已有两个满月那样大。它在苍穹中发出庄严而神秘的蓝光，这光芒照到大地上后就变成月光那样的银色，有满月那样亮，照亮了山谷中的每一个细节。玫瑰星云的面积和亮度在今后的几十年时间里会持续增长，据天文学家预测，当它达到最大时，将占据天空五分之一的面积，那时地球的夜晚将如白天的阴天时那么亮，黑夜将消失。

郑晨将目光移到被星云光芒照亮的山谷。一天的劳作后，孩子们都睡了，山谷中只能看到零星的几处灯火。现在，郑晨已完全投入到了这项奇特的工作中，不再问这一切都是为了什么。

这时，原来用作转播站职工宿舍那间小屋的门开了，张林走了出来。他来到郑晨身边，同她一起看着山谷，说："郑老师，目前在所有的小国家中，你的班级是运行得最成功的，那些孩子素质很高。"

"你怎么说他们是最成功的？据我所知，在山谷最西边的一个小国家，现在已吞并了周围五个小国，形成了一个国土面积和人口数都是原来五倍的国家，而且还在不停地扩张。"

"不，郑老师，这并不是我们所看重的。我们看重的是小国家自身建设的成就、自身的凝聚力、对自己所处的小世界形势的判断，以及由此所做出的长远决策等。"

山谷世界的游戏是可以自由退出的，这两天，几乎每个小国家都有孩子来到指挥组，说他们不玩了，越来越没意思了，干活太累，有人还用枪打架，太吓人了。负责人对他们说的都是同一句话："好的，孩子，回家去吧。"于是他们很快被送回了家。唯独太阳国没有一个孩子退出，这是最为指挥者们看重的一点。

这时，山谷里响起了一阵枪声。

"是太阳国的位置！"郑晨失声惊叫。

张林看了看说："不，是在他们上游。毛毛虫国开始进攻银河共和国了。"

枪声变得密集起来，可以看到山谷中有一片枪口喷出的火焰。

"你们真的打算任事情这么发展下去吗？我的精神已经承受不了了。"郑晨的声音有些发颤。

"战争是整个人类历史的一部分，就是现在，人类世界还是战争不断，我们不还是继续生活吗？"

"可他们还是孩子！"

"很快就不是了。"

在这天傍晚，毛毛虫国答应了银河共和国的交换条件，

同意用未开垦的土地中最好的一块来交换饮用水，但提出要举行一个土地交接仪式，双方各派出一支由20个男孩儿组成的仪仗队，银河共和国答应了这个条件。当这两国领导人带着各自的仪仗队举行升降旗仪式时，埋伏在周围的10多名毛毛虫国的男孩儿突然向银河共和国的仪仗队射击，毛毛虫国仪仗队的成员也端枪扫射。银河共和国的20名男孩子在一片电火花中相继倒地。10分钟后，当他们浑身麻木地醒来时，发现自己已成了毛毛虫国的战俘，自己国家的土地也全部落入敌手。在此期间，毛毛虫国的军队冲过河进攻银河共和国。银河共和国只剩下六个男孩儿和20多个女孩儿，枪全随仪仗队落入敌手，连招架之力都没有了。

果然，毛毛虫国吞并银河共和国后，立即对附近的四国联盟提出了领土要求，他们一时还不敢对四国发动军事进攻，只是打饮用水这张牌，因为这四国的饮用水即将耗尽。

这时“眼镜”广博的知识再次发挥了作用，他想出了一个办法：在五个洗脸盆的底部钻许多小孔，洗脸盆里分别装上石块，石块的直径由上往下依次减小，这就做成了一个水过滤器。吕刚也提出一个净水方法：把野草和树叶捣成糊状，放入水中搅拌，沉淀后水就被净化了。他说这是他在随父亲看部队的野外生存训练时学到的。他们把用这两种方法处理后的水送到指挥组去鉴定，结果达到了饮用标准。这之后，四国联盟反而可以向毛毛虫国出口饮用水了。

毛毛虫国开始准备进攻四国联盟，他们的孩子们已无心开荒，扩张领土成了他们唯一的兴趣，也是未来食品的唯一来源，但他们很快发现这已经没有必要了。

从小河上游传来消息，山谷最西边的星云帝国已连续吞并了13个国家，形成了一个超级大国，他们那人数达400多的大军正沿小河而下，声称要统一山谷世界。面对如此强大的敌人，毛毛虫国的领导人完全没有了吞并银河共和国时的魄力。他们惊慌失措，不知如何是好，其结果是毛毛虫国乱作一团，最后作鸟兽状散了——那些孩子们，一半到上游去投奔了星云帝国，其余则找到指挥组退出游戏回家了。四国联盟也随之解体——伊妹儿国、巨人国和蓝花国中的大部分孩子都退出了游戏。这样，只剩下太阳国在山谷的这一端面对强敌。

太阳国的全体公民决心战斗到底、保卫国家。孩子们对这些天来他们撒下汗水的小小国土产生了感情，由此产生的精神力量让指挥组的大人们都惊叹。

吕刚制订了一套作战方案：太阳国的孩子们把那片宽阔河滩上的帐篷全部推倒，用多种杂物筑成了两道防线，分别位于这片河滩的东西两侧。河滩西侧最先迎敌的第一道防线上只布置了10个男孩儿，吕刚这样吩咐他们：“你们打完一个弹匣后，就喊‘没有子弹了’，然后往回跑。”

防线刚布置完毕，星云帝国的军队就沿山谷密密麻麻地拥了过来，很快布满了原来银河共和国和毛毛虫国的国土。有个男孩子用扩音器喊:“喂，太阳国的孩子们，山谷世界已经被星云帝国统一了，你们这些小可怜还玩个什么劲啊，快投降吧！”

回答他们的只有沉默，于是星云帝国开始进攻。太阳国第一道防线的孩子开始射击，进攻的星云帝国军队立刻卧倒，双方对射起来，太阳国防线的枪声渐渐稀下来，有一个孩子大喊:“没子弹了！快跑啊！”于是防线上的所有孩子起身往后跑。“他们没子弹了！冲啊！！”星云帝国的军队见状起身高呼着成群往前冲。当他们冲到那片河滩开阔地的一半时，太阳国第二道防线的冲锋枪突然开火，星云帝国军队猝不及防，被打倒了一大片，后面的孩子见状往回跑，第一次进攻被打退了。

待到那些被带电子弹击中的孩子们都爬起来后，星云帝国马上组织了第二次进攻。太阳国这时子弹真的不多了，他们看着那十倍于己的、沿河边谨慎行进的大群星云帝国士兵，准备做最后的抵抗，这时有孩子惊呼:“天啊，他们还有直升机！”

真有一架直升机从山后飞来，在战场上空悬停，飞机上的扩音器中响起一个大人的声音:

“孩子们，停止射击！游戏结束了！”

四 灾 变

天刚黑下来时，三架直升机载着54个孩子向市内飞去，这些孩子大部分是郑晨班级的。

直升机依次降落在一幢灯火通明的建筑物前，这个建筑物风格朴素，一看就是20世纪50年代的建筑。山谷游戏指挥组的负责人和张林带领着这54个孩子进了大门，沿着一条长长的走廊向前走。在走廊尽头，有一扇安着亮闪闪黄铜把手的大门，门上包着皮革。门前的两名哨兵轻轻地把门打开，孩子们走进了一个宽阔的大厅。这是一个发生过很多大事的地方，在那些高大的立柱间，仿佛闪动着历史的幻影。

大厅中有三个人，他们是主席、总理和总参谋长。他们低声交谈，好像已经在这里待了一段时间了。大厅的门开了，他们都转过身来，看着孩子们。

带孩子们来的两位负责人走到主席和总理面前，低声进行了简短的汇报。

“孩子们好！”主席说，“我这是最后一次把你们当孩子了，历史要求你们在这10分钟的时间里，从13岁长到30岁。首先请总理为大家介绍情况吧。”

总理说：“你们对六天前发生的超新星爆发事件，都有了详细的了解，下面我要说一件你们不知道的事情。超新星爆发后，包括我国在内的世界各国的医学机构，都在研究它对人类健康的影响。他们共同的结论是，超新星的高能射线完全破坏了人体细胞中的染色体，这种未知的射线穿透力极强，人在室内甚至矿井中，也不能幸免；但对一部分人来说，染色体受到的损伤是可以自行修复的，13岁的孩子可以修复97%，12岁和12岁以下的孩子可以完全修复；其余的人受到的损伤则是不可修复的，我们这些成人的生存时间，从现在算起，大约还有两三天。虽然，超新星在可见光波段范围内只亮了一个多小时，但其不可见的高能射线持续传播了两天，也就是在出现极光的那段时间里地球自转了两圈，所以全世界的情况都是一样的。”

总理的语调沉稳而平静，仿佛在说一件很平常的事情。孩子们费力地思考着总理的话，好长时间都反应不过来，突然，几乎在同时，他们都明白了。

几十年后，当超新星纪元的第二代人成长起来后，他们对父辈听到那个消息时的感受很好奇。对此，新一代的历史学家做了尽量客观的记录，文学家们也做了无数种生动的描述，但他们全错了。当时，在这个大厅里，这54个孩子所感受到的不是震惊，而是陌生，仿佛一把无形的利刃凌空劈下，把过去和未来从这一点齐齐斩去，他们面对的是一个完全陌生的世界。这时，玫瑰星云刚刚升起，它蓝色的光芒透过窗户投到大厅的地板上，仿佛是一只怪异的巨眼从宇宙凝视着他们。

那两天里，地球笼罩在密密的射线暴雨里，高能粒子以巨大的能量穿过人类躯体的每个细胞。细胞中那微小的染色体，如一根根晶莹而脆弱的游丝在高能粒子的弹雨中颤抖、挣扎，DNA双螺旋被撕开，碱基四下飞散。受伤的基因虽然仍在工作，但经过几千万年进化的精确的生命之链已被扭曲、被击断，变异的基因已无法复制生命，而只能播撒死亡。地球在旋转，全人类经历了一场死亡淋浴，在几十亿人的体内，死神的钟表上满了弦，滴答滴答地走着……

世界上13岁以上的人将全部死去，地球，将成为一个只有孩子的世界。

郑晨首先醒悟："总理，这些孩子们，如果我没有猜错，将是……"

总理点点头，平静地说："你没有猜错。"

“这不可能！”年轻的郑晨惊叫起来。

国家领导人无言地看着她。

“他们还是孩子，怎么可能……”

“那么，年轻人，你认为该怎么办呢？”总理问。

“至少应该在全国范围内选拔。”

“你认为这可能吗？我们只有两三天的时间了……与成人不一样，孩子们并没有一个全国范围的由上至下的社会结构，所以不可能在短时间内从四亿孩子中找到最有能力和最适合承担这种责任的人。在这人类最危难的时刻，我们绝不能让整个国家处于没有‘大脑’的状态，所以，我们与世界各国一样采取了这种非常特殊的选拔方式。”

年轻的教师几乎要晕倒了。

主席走到她面前说：“你的学生们未必同意你的看法。你只了解平时的他们，并不了解极限状态时的他们。在极端时刻，人，包括孩子，都有可能成为超人！”

主席转向这群仍然处于茫然中的孩子，说：“孩子们，你们将领导这个国家。”

这又一个“晴空霹雳”，把这群孩子眼中这刚刚变得陌生的世界，炸得四分五裂。他们仿佛悬浮于茫然的虚空之中。

五　认识国家

一支小小的车队向近郊驶去，来到一个僻静的地方，周围有小山环绕。车停了，主席和总理，还有三个孩子：华华、“眼镜”和晓梦下了车。

“孩子们，看。”主席指指前方。他们看到了一条铁路，只有单轨，上面停着长长的载货列车。那些列车首尾相接，形成一个巨大的弧形，从远方的小山脚下拐向前方，看不到尽头。

“哇，这么多列货车！”华华喊道。

总理说：“这里共有11列货车，每列车有20节车厢，共220节车厢。”

主席接着说：“这是一条环形试验铁路，刚出厂的机车在这条铁路上进行性能试验。”他指指最近的那一列火车，“去看看那上面装着什么。”

三个孩子向列车跑去。华华顺着梯子爬上了一节车皮，然后“眼镜”和晓梦也爬了上去。他们站在装得满满一车皮的白色大塑料袋上，向前方看去：这一列满载着这种白色袋子的列车，在阳光下泛着耀眼的白光。他们蹲下来，“眼镜”用手指在一个袋子上捅了个小洞，看到里面是一些白色半透明的针状颗粒，华华拈起一粒来用舌头舔了一下。

“当心有毒！”“眼镜”说。

“我觉得好像是味精。”晓梦说着，也拿起一粒舔了一下，“真的是味精。”

“你能尝出味精的味道？”华华疑惑地看着晓梦。

“确实是味精，你们看！”“眼镜”指着前面正面朝上的一排袋子说。袋子上的商标他们在电视广告上常常见到，广告里一个戴着高高白帽子的大师傅往锅里放进一点白色的粉末。孩子们很难将那点白色的粉末同眼前这白色的巨龙联系起来。他们小心地跨过连接处，来到另一节车厢上，那边白色袋子里装的也是味精。他们又连着走过了三节车厢，发现上面都满载着大袋的味精，无疑，剩下的车厢装的也都是味精。他们数了数，如总理所说，整列货车共有20节车厢，都满满地装着大袋味精。

“哇，这么多啊，全国的味精肯定都在这儿了！”

顺着梯子，孩子们下到地面，看到主席和总理一行人正沿着铁道边的小路向他们走来，他们刚想跑过去，却见到总理冲他们挥挥手，喊道：“再看看前面那些火车上装的是什么！”

于是，三个孩子在小路上跑过了十多节车厢，跑过机车，来到与这列火车间隔十几米的另一列火车的车尾，爬上车厢。他们又看到了装满车厢的白色袋子，但不是刚才看到的塑料袋，而是编织袋，袋子上有“食盐”二字。这袋子很难弄破，但有少量粉末漏了出来，他们用手指沾了些尝尝，确实是食盐。前面又是一条白色的长龙，这列火车的20节车厢上装的都是食盐。

孩子们又爬到第三列上去看。同第二列相同，第三列火车上装的也全是食盐。他们接着跑去看第四列火车，还是满载着食盐。去看第五列火车时，晓梦说跑不动了，于是他们走着去，走过这20节车厢花了不少时间，第五列火车上也全是食盐。

站在第五列火车的顶上向前望，他们有些泄气了：列车的长龙还是望不到头，它弯成一个大弧形，消失在远处的一座小山后。孩子们又走过了两列载满食盐的火车，第七列火车的头已绕过了小山，站在车厢顶上终于可以看到列车长龙的尽头了。他们数了数，前面还有四列火车！

三个孩子坐在车皮顶的盐袋上喘着气，“眼镜”说：“累死了，往回走吧，前面那几列车装的肯定也都是盐！”

华华站起来看了看：“‘环球旅行’，我们已经走过了这个环形铁路大圆圈的一半，从哪边回去的距离都是一样的！”

于是孩子们继续向前走，走过了一节又一节车厢，路途遥远。他们不用爬上去，就能知道车厢里面装的是食盐，他们已经辨别出盐的味道了，“眼镜”说那是海的味道。三个孩子终于走完了最后一列火车，眼前豁然开朗。他们面前出现了一段铁轨，铁轨的尽头就是那列停在环形铁路起点的满载味精的火车了，孩子们沿着空铁轨向前走去。

在环形铁路的起点上，主席和总理正在交谈。主要是总理在说，主席缓缓地点头，两个人的脸色凝重而严峻，显然已谈了很长时间。他们的身影映衬着黑色的高大车体，仿佛是一幅年代久远的油画。当他们看到远远走来的孩子们时，神情立刻轻松起来，主席冲着孩子们挥手。

华华低声说：“你们发现没有，他们和我们在一起时，一副天塌下来也无所谓的样子；但他们单独在一起时，那个严肃啊，让我觉得天真的要塌下来了。”

晓梦说：“大人们都是这样，能控制自己的情绪。华华，你就不行。”

“我怎么了？我让大家看到真实的自己有什么不好？”

“控制自己并不是虚假！你的情绪会影响周围的人，特别是小孩子，他们最易受影响，所以你以后要学着控制自己。这点你应该向‘眼镜’学习。”

“他？哼，他脸上就比别人少一半神经，什么时候都那个表情。行了，晓梦，你比他们那几个大人教我的都多。”

“这倒是真的。你没有发现那几个大人教我们的很少吗？只有这一天时间，他们为什么不抓紧呢？”

走在前面的“眼镜”转过身来，他那“少一半神经”的脸上还是那副漠然的表情：“这应该是人类历史上最难上的课，他们怕教错了。”

“孩子们辛苦了！今天下午你们可真走了不少路，对看到的东西一定印象深刻吧？”主席对走到面前的孩子们说。

“眼镜”点点头说：“再普通的东西，一旦数量多了，就成了奇迹。”

华华附和道：“是的，真没想到世界上有这么多的味精和盐！”

主席和总理对视了一下，微微一笑，总理说：“我们的问题是，这么多的味精和盐够我们国家所有的公民吃多长时间？”

“起码一年吧。”“眼镜”不假思索地说。

总理摇摇头。

华华也摇头：“一年也吃不完，五年！”

总理又摇头。

“那是10年？”

总理说：“孩子们，这么多的味精和盐，只够全国公民吃一天。”

“一天？”三个孩子大眼瞪小眼地呆立了好一会儿。华华对总理不自然地笑笑：“这……开玩笑吧？”

主席说：“按每人一天吃一克味精和10克盐，这每节车厢的载重量是60吨，这个国家有12亿公民。一道很简单的算术题，你们自己算吧。”

三个孩子吃力地数着那一长串的“0”，终于知道总理说的是真的。

“天哪！”三人齐说。

总理说：“这是想让你们对我们国家的规模有一个感知——要领导这样一个国家，没有这种感知是不行的。”

“实在对不起，孩子们，时间有限，只能给你们上这唯一的一堂课了。”主席沉重地对三个孩子——几个小时之后国家的最高领导人说。

六　交接世界

这是公元世纪的最后一夜。

国家领导集体和他们的继任者们再次聚在那个大厅中。在过去的一天里，孩子们上了一堂人类历史上最难的课：试图在这一天内掌握这世界上绝大多数人终其一生都不可能掌握的东西。

在古老的围墙外面，灯海消失了，首都静静地躺在玫瑰星云的光辉下，与远方同样没有灯光的广阔大地融为一体。此时，全世界的发电厂都小心翼翼地停止了运转，谁也不知道它们多少年以后才能被重新使用。但由小型发电机维持的基础通信设施仍在运转，电台里已换成童声主播，世界突然变得广袤无边，但并没有崩溃。

在大厅里，两代领导人在做最后的告别。大人们的病情已很严重，他们都发着高烧，步履艰难。每个大人都把他们的继任者拉到身边，有些大人急促地不停地说着，仿佛想把自己的全部记忆在这最后的几十分钟里移植到继任者的大脑里；还有一些大人则长时间地沉默，他们觉得要说的话分量太重、太多，不知该怎样说。

总理对华华、“眼镜”和晓梦说：“你们首先要做的事情，是和全国各省取得联系，他们同我们一样已有所准备。记住，一定要和省级领导机关联系，再往下更细的事情由他们去做，否则，你们是绝对顾不过来的。其次，要确保全国孩子的基本生活，这个国家将只有四亿左右的人口了，只要组织得当，在相当长的一段时间内，这是不难做到的。但要记住，再多的存粮也会被吃光的，要立刻着手恢复农业生产，尽你们的所能，夏粮能收多少就收多少，秋粮能种多少就种多少；工业生产的恢复要难得多，但也要立刻着手干。首先是交通，然后是能源，要知道，没有这两样，现有的大中城市将无法运行下去。对你们来说这些都很难，但一定要试着干，不能等，也等不到什么。六岁以上的孩子都要参加工作，但这并不意味着他们要停止学习，相反，你们不但要把现在的课程继续学下去，还要学更多的东西，白天工作，晚上学习。这种学习应该是跳跃式的，你们得提前学会很多只有大学才学的东西，才能使社会各领域运转起来。孩子们，要准备吃苦啊。你们必须尽快使国家稳定下来，使国民经济正常运转起来，越快越好。因为据我们预测，你们的注意力很快不得不集中到另一件事上：在三至五年内，很可能有外敌入侵。”

总参谋长接着说:“我们无法准确预测未来的世界格局，但有一点可以肯定：由孩子们控制的世界将失去理智，现有的国际政治体系将全面崩溃，世界将进入野蛮争霸时代，战争会再次成为解决国际争端的主要手段。战争一旦爆发，将是全面、大规模的，战争的样式和技术水平大约同第一次世界大战相当，虽然进程缓慢，但战场广阔，战况激烈、残酷。北约一时不具备向亚洲投放大规模兵力的能力，近邻强国可能首批入侵。所以，军队的恢复也要立即进行，且不能小于现有规模。”

总参谋长伸出一只手，他身后的一位大校把一只箱子递给他。

“孩子们，我们很高兴把所有的东西都留给你们，但这件例外。这是国家战略核武器的启动密码和技术资料。我们只给了你们一小部分，即使这样，我们也是很不情愿的。这如同把一支拉开栓的手枪放到了婴儿手里。可没有办法，如果人家的孩子手里有了这东西而你们没有，那你们会有危险的。千万记住，绝不能先用它来打击别人！剩下的一切，只能由你们来把握了。”

孩子们的几双手同时伸来，接住了那只沉甸甸的箱子。

只有主席还没说话，大家都安静下来，把目光汇聚到他身上。

主席沉思良久才开口:“孩子们，人们常说‘有志者事竟成’。现在我要告诉你们，这句话不全面。只有符合科学规律和社会发展规律的事，努力去做，才能‘成’。未来，你们想干的大部分事，不管多么努力，是成不了的。你们的责任，就是在一百件事情中清除九十九件不能成的事情，找出那一件能成的来。这极难，但你们必须做到!”

说着，主席转过身去，他身后的人向两边散开，露出了一张大桌子，上面整齐地摆放着30多部电话。主席指着这些电话说:“当世界交换完成时，各省的领导机构将通过这些电话同中央联系。这之前还有一段时间，大家要好好休息，睡一会儿，以后，不会有很多睡觉的时间了。”

主席说:“其实，把超新星称为‘死星’是完全错误的，冷静地想想，构成我们这个世界的所有重元素都来自于爆发的恒星，构成地球的铁和硅，构成生命的碳，都是在遥远的过去，从某个超新星喷发到宇宙中的。因此超新星不是死星，而是真正的造物主！虽然人类文明被拦腰斩断，但是我们相信，你们会在这新鲜的创口上开出绚丽的花朵。当超新星再度袭击地球时，你们肯定已经有能力挡住它的射线。”

华华说:“那时我们会引爆一颗超新星，用它产生的能量飞出银河系！”

主席高兴地说:“你们对未来的设想总比我们高一个层次，这是最令我们欣慰的地方。好了，孩子们，我们该走了。”

“我想同孩子们在一起。”郑晨说。

“我们还是一起走吧，相信你的学生们！姑娘，你应该骄傲地离开这个世界，人类历史上没有任何一位教师能比你强——你培养出了一个国家！”

大人们相互搀扶着走出大厅，溶入玫瑰星云银色的光芒之中。主席走在最后，他出门前转身对新的国家领导集体挥了挥手：“孩子们，世界是你们的了！”

全世界的大人们走向荒无人烟的沙漠、极地或海底，去迎接死亡。直到很多年后，那一座座巨大的陵墓才被发现。地球上大片的地区，重新变成人迹罕至的荒野。

七 创世纪

当只剩下他们时，孩子们真的感觉累了，50多个孩子就在大厅里的长沙发和地毯上睡着了。

他们中的第一个人醒来时，天还黑着。接着，其他孩子也陆续醒来，一个孩子无意中看到了大厅一角的大钟，他失声惊叫起来，其他的孩子也都看着钟呆住了。

他们睡了10多个小时。地球，现在已是孩子的世界了。

这一刻，被后来的历史学家称为人类的“精神奇点”，它是人类有史以来最孤独的时刻。这强烈的孤独感紧紧地压住了孩子们，攫住了他们的每一个细胞。

“妈妈——”有个女孩失声叫了一声，所有的孩子都想哭，但是——

电话响了。

开始只是一部电话在响，紧接着两部、三部、四部……铃声汇成一片，外部世界在呼唤，提醒着新一代的领导集体记起他们的责任和使命。

他们没时间哭了。

“大家立刻进入工作岗位！”华华大声说，新的领导集体向电话走去。

蓝色的玫瑰星云仍然那么明亮，这是古老恒星庄严的坟墓，也是孕育着新恒星的壮丽的胚胎。光芒透过高高的落地窗，给这群小身躯镀上了一层银色的光辉。与此同时，东方曙光初现，新世界将迎来她的第一次日出。

超新星纪元开始了。

流浪地球

一　刹车时代

我没见过黑夜，我没见过星星，我没见过春天、秋天和冬天。

我出生在刹车时代结束的时候，那时地球刚刚停止转动。

地球自转刹车用了42年，比联合政府的计划多了三年。妈妈给我讲过我们全家看最后一个日落的情景：太阳落得很慢，仿佛停在地平线上了，用了三天三夜才落下去。当然，自那以后，我们的世界没有“日”，也没有“夜”了。东半球在相当长的一段时间里（有十几年吧）都处于黄昏，因为太阳在地平线下，并没落下，还在半边天上映出它的光芒。就在那次漫长的日落中，我出生了。

黄昏并不意味着昏暗，地球发动机把整个北半球照得日夜通明。地球发动机安装在亚洲和美洲大陆上，因为这两个大陆的板块结构完整坚实，能承受发动机对地球巨大的推力。

地球上的12000台发动机，分布在亚洲和美洲大陆的平原上。从我住的地方，可以看到几百台发动机喷出的等离子体光柱。试着想象一下，像雅典卫城的神殿那么大的一个宫殿，殿中有无数根顶天立地的巨柱，每根柱子像一根巨大的日光灯管那样发出蓝白色的强光，而你，是那巨大宫殿地板上的一个细菌。这样，你就可以想象出我所在的世界是什么样子了。这样描述还不是太准确，其实，是地球发动机产生的切线推力刹住了地球的自转，为此地球发动机的喷射必须有一定的角度，因此天空中的那些巨型光柱是斜的。而我们处在一个将要倾倒的巨殿中！

南半球的人来到北半球后，有许多人会精神失常。更可怕的是发动机带来的酷热，户外气温高达七八十摄氏度，必须穿冷却服才能外出。在这样的气温下常常会有暴雨，而发动机光柱穿过乌云时的景象就如同一场噩梦：光柱蓝白色的强光在云中散射，变成无数种色彩组成的疯狂涌动的光晕，整个天空仿佛被炽热的火山岩浆覆盖。

爷爷老糊涂了，有一次被酷热折磨得实在受不了，看到下大雨了，喜出望外地赤膊冲出门去。外面的雨点被地球发动机超高温的等离子光柱烤得极热，瞬间就把他身上烫起了一层皮。

对于我们这一代在北半球出生的人来说，这一切都很自然，就如同太阳、星星和月亮对于刹车时代以前的人们那么自然一样。我们把以前人类的历史叫作“前太阳时代”——

那真是个让人神往的黄金时代啊！

我刚上小学时，老师就带我们班的30个孩子进行了一次环球旅行，这是我们的一门课程。这时地球已经完全停转，地球发动机除了维持地球的静止状态，只进行一些姿态调整，所以在我三岁到六岁的三年中，光柱的强度大为减弱，这使得我们可以在旅行中更好地认识世界。

我们首先近距离地见到了地球发动机，那是在太行山附近的出口。地球发动机如同一座金属的“高山”，赫然耸立，占据了半个天空。同它相比，山脉如同一串小土丘。有的孩子惊叹它如珠穆朗玛峰一样高。我们的班主任小星老师是一位漂亮姑娘，她笑着告诉我们，这座发动机的高度是11000米，比珠穆朗玛峰还要高2000多米，人们管它叫“上天的喷灯”。我们站在它巨大的阴影中，感受着它通过大地传来的振动。

地球发动机分为两大类，大一些的叫“山”，小一些的叫“峰”。我们登上了“华北794号山”。登“山”比登“峰”花的时间长，因为“峰”是靠巨型电梯上下的，上“山”则要坐汽车沿盘“山”公路走。

我们的汽车混在不见首尾的车队中，沿着光滑的钢铁公路向上爬行。左边是青色的金属峭壁，右边是黑暗的万丈深渊。车队由一辆辆载重量为50吨的巨型自卸卡车组成，车上满载着从太行山上挖下的岩石。汽车很快爬升到了5000米以上，已看不清大地的细节了，只能看到反射出的地球发动机的一片青光。小星老师让我们戴上氧气面罩。我们距喷口越来越近，光度和温度都在剧增，面罩的颜色渐渐变深，冷却服中的微型压缩机也加大功率，忙碌起来。

在6000米处，我们见到了进料口，一车车的大石块被倒进那闪着幽幽红光的大洞中，一点声音都没传出来。我问小星老师地球发动机是如何把岩石当作燃料用的。

“重元素聚变是一门很深的学问，现在你们还听不懂。你们只需要知道，地球发动机是人类建造的力量最大的机器，比如我们所在的‘华北794号’，全功率运行时能向大地产生150亿吨的推力。”小星老师说。

我们的汽车终于登上了顶峰，喷口就在我们头顶上。由于光柱的直径太长，我们现在抬头只能看到一堵发着蓝光的等离子体巨墙，这巨墙向上无限延伸。这时，我突然想起不久前的一堂哲学课，那个憔悴的老师给我们出了一个谜语。

“你在平原上走着走着，突然迎面遇到一堵墙，这墙向上无限高，向下无限深，向左向右都无限远，这堵墙是什么？”

想到这，我不禁打了一个寒战，接着把这个谜语告诉了身边的小星老师。她想了好大一会儿，困惑地摇摇头。我把嘴凑到她耳边，把那个可怕的谜底告诉了她。

“死亡。”

她默默地看了我几秒钟，突然把我紧紧地抱在怀里。我从她的肩上极目望去，迷蒙的大地上，耸立着一片金属的巨峰，从我们周围一直延伸到地平线。巨峰吐出的光柱，如一片倾斜的宇宙森林，刺破我们摇摇欲坠的天空。

我们很快到达了海边，看到城市摩天大楼的尖顶伸出海面，退潮时白花花的海水从大楼无数的窗子中流出，形成一道道瀑布……刹车时代刚刚结束，其对地球的影响已触目惊心：地球发动机加速造成的潮汐吞没了北半球三分之二的大城市；发动机带来的全球高温，融化了极地冰川，这简直是雪上加霜——潮汐波及南半球。30年前，爷爷曾亲眼看见百米高的巨浪吞没城市时的恐怖情景，他现在讲起这事时，眼神还是直勾勾的。我们的星球还没启程就已面目全非了，谁知道在以后漫长的外太空流浪中，还有多少苦难在等着我们呢？

我们乘船在海面上航行。地球发动机的光柱越来越远，一天以后就完全看不见了。这时，大海处在两片霞光之间，一片是西面地球发动机的光柱产生的青蓝色霞光，一片是东面海平面下的太阳产生的粉红色霞光。因反射这两片霞光，大海也分成了两部分，各自闪耀着不同颜色的光芒。我们的船就行驶在这两部分的分界处，大家都觉得这景色真是奇妙。但随着青蓝色霞光的逐渐减弱和粉红色霞光的逐渐增强，一种不安的气氛在船上弥漫开来。

甲板上见不到孩子们了。他们都躲进船舱，紧紧拉上舷窗的帘子。一天后，我们最害怕的时刻终于到来了。我们在那间用作教室的大舱中集合，小星老师庄严地宣布："孩子们，我们要去看日出了。"

没有人动，大家目光呆滞，像被冻住一样僵在那儿。小星老师又催了几次，还是没人动。一位男教师说："我早就提过，环球体验课应该放在近代史课后面，这样学生在心理上就比较容易适应了。"

"他们早就从社会知道一切了。"小星老师说。她接着对几名班干部说："你们先走，孩子们，不要怕，我小时候第一次看日出也很紧张，但看过一次就好了。"

我们一个个地站了起来，朝着舱门挪动脚步。这时，我感到一只潮湿的小手抓住了我的手，回头一看，是灵儿。

"我怕……"她嘤嘤地说。

"我们在电视上也看到过太阳，反正都一样的。"我安慰她说。

"怎么会一样呢？你看电视上的蛇和看生活中的蛇，能一样吗？"

"反正我们得上去，要不这门课会被扣分的！"

我和灵儿紧紧拉着手，和其他孩子一起战战兢兢地朝甲板走去，去面对我们人生中的第一次日出。

"人类把太阳同恐惧联系在一起，也只是这三四个世纪的事。这之前，人类是不怕太阳的，相反，太阳在他们眼中是庄严和壮美的。那时地球还在自转，人们每天都能看到日出和日落。他们对着初升的太阳欢呼，赞颂落日的美丽。”小星老师站在船头对我们说，海风吹动着她的长发。在她身后，海天连接处射出几道光芒，好像是海面下的大怪兽喷出的鼻息。

终于，我们看到了那令人胆寒的火焰，开始时只是水天相连处的一个亮点，很快增大，渐渐呈圆弧状。恐惧使我窒息，脚下的甲板仿佛突然消失，我向海的深渊坠下去，坠下去……和我一起下坠的还有灵儿，她那柔弱的小身躯紧贴着我颤抖着；还有其他孩子，其他的所有人，整个世界都在下坠。

这时我又想起了那个谜语。我曾问过哲学老师，那堵墙是什么颜色的，他说应该是黑色的。我觉得不对，我想象中的死亡之墙应该是雪亮的，这就是为什么那道等离子体墙让我想起这个谜语的原因。这个时代，死亡不再是黑色的，它是闪电的颜色，当最后那道闪电到来时，世界将在瞬间变成蒸气。

三个多世纪前，天体物理学家们就发现，太阳内部氢转化为氦的速度突然加快，于是他们发射了上万个探测器穿过太阳，最终建立了这颗恒星完整精确的数学模型。巨型计算机对这个模型计算的结果表明：太阳的演化已向主星序外偏移，氦元素的聚变将在很短的时间内传遍整个太阳内部，由此会发生一次叫“氦闪”的剧烈爆炸，之后，太阳将变为一颗巨大但暗淡的红巨星，并惊人地膨胀——地球将在太阳内部运行。事实上，在氦闪中，我们的星球已被汽化了。

这一切将在400年内发生，现在已过了380年。

太阳的灾变将炸毁和吞没太阳系所有适合居住的类地行星，并使所有类木行星完全改变形态和轨道。自第一次氦闪后，随着重元素在太阳中心的反复聚集，太阳氦闪将在一段时间内反复发生。这里的“一段时间”是相对于恒星演化来说的，对于人类而言，其长度可能相当于上千个人类历史。所以，人类在这样的太阳系中已无法生存下去，唯一的生路是向外太空恒星移民。根据人类目前的技术力量，全人类移民唯一可行的目标是人马座比邻星。它是距离我们最近的恒星，离我们有4.3光年远。以上看法是人们的共识，而争论的焦点则在移民方式上。

为了加强教学效果，我们的船在太平洋上折返了两次，又让我们看了两次日出。现在我们已完全适应了，也相信了南半球那些每天面对太阳的孩子确实能活下去。

之后我们就在太阳下航行了。太阳越升越高，才凉爽了几天的天气又热了起来。我正在舱里昏昏欲睡，突然听到外面乱哄哄的，接着，灵儿推开门探进头来。

“嗨，飞船派和地球派又打起来了！”

我对这事儿不感兴趣，他们已经打了四个世纪了。但我还是到外面看了看，在那打成一团的几个男孩儿中，我一眼就看出了挑事儿的是阿东，他爸爸是个顽固的飞船派，因参加了反联合政府的暴动，现在还被关在监狱里。真是有其父必有其子。

小星老师和几名粗壮的船员好不容易把打架的几个孩子拉开。阿东鼻子流血了，还振臂高呼："把地球派扔到海里去！"

"我也是地球派，也要被扔到海里去？"小星老师问。

"地球派都扔到海里去！"阿东毫不示弱。现在，全世界的飞船派都情绪激动，所以他们又狂起来了。

"为什么这么恨我们？"小星老师问。

其他几个飞船派小子接着喊了起来："我们不和地球派傻瓜在地球上等死！""我们要坐飞船走！飞船万岁！"

……

小星老师按了一下手腕上的全息显示器，我们面前立刻显示出一幅全息图像。大家立刻被它吸引，都暂时安静下来。那是一个晶莹透明的密封玻璃球，直径大约有10厘米，球里有三分之二充满了水，水中有一只小虾、一小枝珊瑚和一些绿色的藻类植物，小虾在水中悠然地游动着。

小星老师说："这份自然课设计作业是阿东的，小球中除了这几样东西，还有一些看不见的细菌。它们在密封的玻璃球中相互依赖、相互作用。小虾以海藻为食，从水中摄取氧气，然后排出含有有机物质的粪便和二氧化碳，细菌将这些东西分解成无机物质和二氧化碳，然后海藻利用这些无机物质与人造阳光进行光合作用，制造营养物质，进行生长和繁殖，同时放出氧气供小虾呼吸。这样的生态循环能使玻璃球中的生物在只有阳光供应的情况下生生不息。这是我见过的最好的课程设计，我知道，这里面凝聚了阿东和所有飞船派孩子的梦想，这就是你们梦中飞船的缩影啊！阿东告诉我，他严格按照计算机中的数学模型，对球中每一样生物进行了基因设计，使他们的新陈代谢正好达到平衡。他坚信，球中的生命会长期活下去，直到各自寿命的终点。老师们都很钟爱这件作业，我们把它放到所要求强度的人造阳光下，也坚信阿东的预测，默默地祝福他创造的这个小小的世界。但现在，时间只过去了十几天……”

小星老师从随身带来的一个小箱子中小心翼翼地拿出了那个玻璃球，死去的小虾漂浮在水面上，水已混浊不堪，腐烂的藻类植物失去了绿色，变成一团没有生命的毛状物覆盖在珊瑚上。

“这个小世界死了。谁能说出原因？”小星老师把那个死亡的小世界举到孩子们面前。

“它太小了！”

“对。小的生态系统，不管多么精确，都经不起时间的风浪。飞船派们想象中的飞船也一样。”

“我们的飞船可以造得像上海或纽约那么大。”阿东说，声音比刚才低了许多。

“按人类目前的技术也只能造这么大。但同地球相比，这样的生态系统还是太小了，太小了。”

“我们会找到新的行星。”

“这恐怕连你们自己也不相信。人马座没有行星，离我们最近有行星的恒星在850光年以外，乘坐目前速度最快的飞船也需17万年才能到那儿，而飞船规模的生态系统连这十分之一的时间都维持不了。孩子们，只有像地球这样气势磅礴的生态循环，才能使生命万代不息！人类在宇宙里离开了地球就像孩子在沙漠里离开了母亲！”

“可……老师，我们来不及了，地球来不及了，它还来不及加速，航行到足够远，太阳就要爆炸了！”

“时间是够的，要相信联合政府！退一万步说，人类也将自豪地死，因为我们尽了最大的努力！”

人类的逃亡分为五步：第一步，把发动机喷口固定在地球运行的反方向，用地球发动机使地球停止转动；第二步，全功率开动地球发动机，使地球加速到逃逸速度，飞出太阳系；第三步，在外太空继续加速，飞向比邻星；第四步，在中途使地球重新自转，调转发动机方向，开始减速；第五步，地球泊入比邻星轨道，成为这颗恒星的行星。人们把这五步分别称为：刹车时代，逃逸时代，流浪时代I（加速），流浪时代II（减速），新太阳时代。

整个移民过程将延续2500年，100代人。

我们的船继续航行，航行到了地球的黑夜部分，阳光和地球发动机的光柱都照不到这里。在大西洋清凉的海风中，我们第一次看到了星空。天啊，那是怎样的景象啊，美得让我们心醉。小星老师一手搂着我，一手指着星空，说："看，孩子们，那就是人马座，那就是比邻星，那就是我们的新家！"说完她哭了起来，我们也哭了，周围的水手和船长，这些铁打的汉子也流下了眼泪。所有的人都泪眼蒙眬地遥望着老师指的方向，星空在泪水中扭曲、抖动，唯有比邻星是不动的，那是黑夜下大海狂浪中远方陆地的灯塔，那是冰雪荒原中快要冻死的孤独旅人前方隐现的火光，那是我们心中的星星，是人类在未来100代人的苦海中唯一的希望和支撑……

在回家的航程中，我们看到了起航的第一个信号：夜空中出现了一个巨大的彗星——月球。人类带不走月球，就在月球上也安装了行星发动机，把它推离地球轨道，以免在地球加速时撞到它。月球上行星发动机产生的巨大彗尾使大海笼罩在一片蓝光之中，群星不见了。月球移动产生的引力潮汐使大海巨浪冲天，我们改乘飞机向北半球的家飞去。

起航的日子终于到了！

我们一下飞机，就被地球发动机的光柱照得睁不开眼。这些光柱比以前亮了几倍，而且都由倾斜变成笔直。地球发动机开到了最大功率，因它加速而产生的百米高的巨浪，轰鸣着打向大陆，灼热的飓风夹着滚烫的水沫，在林立的等离子光柱间疯狂呼啸，拔起了陆地上所有的大树……这时从宇宙空间看，我们的星球也成了一个巨大的彗星，蓝色的彗尾刺破了黑暗的太空。

地球上路了，人类上路了。

就在起航时，爷爷因身上的烫伤感染去世了。弥留之际他反复念叨着一句话。

“地球啊，我的流浪地球啊……”

二　逃逸时代

学校要搬入地下城了，我们是第一批入城的居民。校车钻进了一个高大的隧洞。我们顺着隧洞不大的坡度往地下走，大约过了半个钟头，我们被告知已入城了。可车窗外哪有城市的样子？只看到不断掠过的错综复杂的支洞，和洞壁上无数的密封门，在洞顶一排泛光灯下，一切都呈单调的金属蓝色。想到后半生的大部分时光都要在这个世界中度过，我们不禁黯然神伤。

“原始人就住洞里，我们也住洞里了。”灵儿低声说，可还是让小星老师听见了。

“没有办法，孩子们。地面的环境很快就会变得很可怕——冷的时候，吐一口唾沫，还没掉到地上呢，就冻成小冰块儿了；热的时候，吐一口唾沫，还没掉到地上，就变成了蒸气！”

“冷我知道，因为地球离太阳越来越远了。可为什么还会热呢？”同车的一个低年级的小娃娃问。

“笨，没学过变轨加速吗？”我没好气地说。

“没。”

好像是为了分散刚才的悲伤，灵儿耐心地解释起来：“是这样：地球发动机没那么大劲儿，不能把地球一下子推出太阳轨道，在地球离开太阳前，还要绕着它转15个圈呢！在这15圈中，地球慢慢加速。现在，地球绕太阳转的圈还挺圆的，可到后面它的速度越快，这圈就越扁，越快越扁、越快越扁，太阳也从这个扁圈的中心越来越偏到一边儿，所以后来，地球有时离太阳会很远很远，当然冷了……”

“可……还是不对！地球到最远的地儿是很冷，可在扁圈的另一头，它离太阳……嗯，我想想，按轨道动力学，还是现在这么近啊，怎么会更热呢？”

真是个小天才！记忆遗传技术的发明和使用是人类的幸运，否则，像地球发动机这样的奇迹，是不会在四个世纪内变成现实的。

我说：“可还有地球发动机呢，小傻瓜，现在，一万多台那样的大喷灯全功率开动，地球就成了火箭喷口的护圈了……你们安静点吧，我心里烦！”

我们就这样开始了地下的生活。像这样在地下500米处人口超过百万的城市遍布各个大陆，在地下城中，我读完小学并升入中学。学校教育都集中在理工科上，艺术和哲学之类的教育已压缩到最少，人类没有这份闲心了。这是人类最忙的时代，每个人都有做不完的工作。有意思的是，地球上所有的宗教在一夜之间消失得无影无踪。历史课还是有的，在我们看来，课本中前太阳时代的人类历史就如同神话一样。

我父亲是一名空军近地轨道宇航员，在家的时间很少。记得在变轨加速的第五年，在地球处于远日点时，我们全家去过一次海边。地球运行到远日点顶端那一天，是一个如同新年一样的节日，因为这时地球距太阳最远，人们都有一种虚幻的安全感。像以前到地面上去一样，我们须穿上带有核电池的全密封加热服。地球上面，地球发动机林立的刺目光柱是主要能看见的东西。我们乘飞行汽车飞了很长时间，一直飞到光柱照不到的地方，才抵达了能看见太阳的海边。这时的太阳已成棒球大小，一动不动地悬在天边，它的光芒只在自己的周围映出了一圈晨曦似的亮影，天空呈深蓝色，星星仍清晰可见。举目望去，哪有海啊，眼前是一片白茫茫的冰原。在这封冻的大海上，是狂欢的人群。焰火在暗蓝色的空中绽放，冰面上到处都是兴奋地打滚的人，更多的人在声嘶力竭地唱着不同的歌，都想用自己的声音压住别人的。

“每个人都在不顾一切地过自己想过的生活，这也没有什么不好。”爸爸突然想起了一件事，“呵，忘了告诉你们，我爱上了黎星，我要离开你们和她在一起。”

“她是谁？”妈妈平静地问。

“我的小学老师。”我替爸爸回答。我升入中学已两年，不知道爸爸和小星老师是怎么认识的，也许是在两年前的毕业仪式上？

“那你去吧。”妈妈说。

“过一阵我肯定会厌倦，那时我就回来，你看呢？”

“随便你。”妈妈的声音像冰冻的海面一样冷静，但她很快激动起来，“啊，这一朵真漂亮，里面一定有全息散射体！”她指着刚在空中开放的一朵焰火，真诚地赞美着。

在这个时代，人们在看四个世纪以前的电影和小说时都觉得莫名其妙。他们不明白，在不关生死的事情上，前太阳时代的人怎么会倾注那么多感情。当看到男女主人公因爱情而痛苦时，他们的惊奇是难以言表的。在这个时代，死亡的威胁和逃生的欲望压倒了一切，除了当前太阳的状态和地球的位置，没有什么能真正引起他们的注意，并打动他们了。这渐渐从本质上改变了人类的心理状态和精神生活，对于爱情这类东西，他们只是用余光瞥一下而已。

过了两个月，爸爸真从小星老师那儿回来了。妈妈没有高兴，也没有不高兴。

爸爸对我说：“黎星对你印象很好，她说你是一个有创造力的学生。”

妈妈一脸茫然：“她是谁？”

“小星老师嘛，我的小学老师，爸爸这两个月就是同她在一起的！”

“哦，想起来了！我还不到40岁，记忆力就成了这个样子。”妈妈摇摇头笑了，她抬头看看天花板上的全息星空，又看看四壁的全息森林，“你回来挺好，把这些图像换换吧，我和孩子都看腻了，但我们都不会调整这玩意儿。”

当地球再次向太阳跌去的时候，我们全家都把这事忘了。

有一天，新闻报道说，已冻住的海在融化。于是我们全家又到海边去。这时，地球正通过火星轨道。按照太阳这时的日照量，地球的气温应该仍然是很低的，但在地球发动机的影响下，地面的气温正适宜。不穿加热服或冷却服去地面的感觉真令人愉快。地球发动机所在的半球天空还是那个样子。当我们到达另一个半球时，真感到了太阳的临近：天空是明朗的纯蓝色，太阳在空中同启航前一样明亮。从空中看，海并没融化，它还是一片白色的冰原。当我们失望地走出飞行汽车时，突然听到惊天动地的隆隆声，那声音仿佛来自地球的最深处，就像地球要爆炸一样。

“这是大海的声音！”爸爸说，“因为气温骤升，厚厚的海冰层因受热不均而裂开，这很像地震。”

突然，一声雷霆般尖锐的巨响插入这惊天动地的隆隆声中。我们身后看海的人群欢呼起来。我看到海面上裂开一道缝，其裂开速度之快如同广阔的冰原上突然出现了一道黑色的闪电。接着，在不断的巨响中，这样的裂缝一条接一条地在冰原上出现，海水从裂缝中喷出，在冰原上形成一条条迅速扩散的急流……

回家的路上，我们看到荒芜已久的大地上，野草大片大片地钻出地面，各种花朵在怒放，嫩叶给枯死的森林披上绿装……所有的生命都在抓紧时间释放着活力。

随着地球和太阳的距离越来越近，人们的心也一天天地揪紧了。到地面上来欣赏春色的人越来越少了，大部分人都深深地躲进了地下城。有一天在我睡下后，听到妈妈低声对爸爸说："可能真的来不及了。"

爸爸说："前四个近日点时也有这种谣言。"

"可这次是真的。我是听钱德勒博士的夫人说的，钱德勒博士是航行委员会的天文学家，他亲口对他夫人说，已观测到氦的聚集在加速。"

"听着，亲爱的，我们必须怀有希望，这并不是因为希望真的存在，而是因为我们要做高贵的人。在前太阳时代，做一个高贵的人必须拥有金钱、权力或才能，而在今天只要拥有希望，希望是这个时代的黄金和宝石，不管活多长，我们都要拥有它！明天把这话告诉孩子。"

和所有人一样，我也随着近日点的到来而心神不宁。一天放学后，我不知不觉地走到了城市中心广场，站在圆形水池边，一会儿低头看着蓝莹莹的池水，一会儿抬头望望广场圆形穹顶上梦幻般的光波纹，那是池水反射上去的。这时，我看到了灵儿，她拿着一个小瓶子和一根小管儿，在吹肥皂泡。每吹出一串，她都呆呆地盯着那些泡泡，看着它们一个个消失，然后再吹出一串……

“都这么大了还玩这个，好玩吗？”我走过去问她。

灵儿见了我喜出望外，说：“我们俩去旅行吧！”

“旅行？去哪里？”

“当然是地面啦！”她挥手在空中划了一下，从手腕计算机上甩出一幅全息景象：海上涌起道道白浪，落日下的海滩上，微风吹拂着棕榈树，金黄的沙滩上有一对对情侣，他们在铺满碎金的海面前呈现为一对对黑色的剪影。“这是梦娜和大刚发回来的。他们俩现在满世界转呢，还说现在外面还不太热，可好玩了，我们去吧！”

“他们因为旷课刚被学校开除了。”

“哼，你根本不是怕这个，你是怕太阳！”

“你不怕吗？别忘了你因为怕太阳还看过精神科医生呢。”

“可我现在不一样了，我受到了启示！你看——”灵儿用小管儿吹出了一串肥皂泡，“盯着它看！”她用手指着一个肥皂泡说。

我盯着那个泡泡，看到它表面上光和色的狂澜，那狂澜复杂而精细地涌动着，好像那个泡泡知道自己生命的长度，故而疯狂地向世界演绎记忆中无数的梦幻和传奇。很快，光和色的狂澜在一次无声的爆炸中消失了，我看到了一小片似有似无的水汽，这水汽也只存在了半秒钟，然后什么都没有了。好像什么有存在过，又好像什么都没有发生过。

“看到了吗？地球就是宇宙中的一个小水泡，啪一下，什么都没了，有什么好怕的呢？”

“不是这样的，据计算，在氦闪发生时，地球被完全蒸发掉至少需要100个小时。”

“这就是最可怕之处！”灵儿大叫起来，“我们在地下500米，就像馅饼里的肉馅一样，先给慢慢烤熟了，再蒸发掉！”

一阵寒意传遍我的全身。

“但在地面就不一样了，那里的一切瞬间被蒸发，地面上的人就像那泡泡一样，啪一下……所以，氦闪时还是在地面上为好。”

可我还是没同她一起去，后来她同阿东去了。之后，我再也没见到他们。

氦闪并没有发生，地球高速掠过了近日点，第六次向远日点升去，人们绷紧的神经松弛下来。由于地球的自转已停止，在太阳轨道的这一面，亚洲大陆上的地球发动机正对它的运行方向，所以在通过近日点前都停了下来，只是偶尔做一些调整姿态的运行，我们这儿处于宁静而漫长的黑夜之中。美洲大陆上的发动机则全功率运行，那里成了火箭喷口的护圈。由于太阳这时也处于西半球的附近，那儿的高温更是可怕，草木生烟。

地球的变轨加速就这样年复一年地进行着。每当地球向远日点升去时，人们的心也随着地球与太阳距离的日益拉长而放松；而当它在新的一年向太阳跌去时，人们的心又一天天揪起来。每次快到达近日点时，社会上就谣言四起，说太阳氦闪就要发生了。直到地球再次飞向远日点，人们的恐惧才会随着天空中渐渐变小的太阳消除，但又在准备着下一次的恐惧……人类的精神像在荡着一个宇宙秋千，升上远日点和跌向太阳的过程以及掠过近日点时神经一次比一次紧张。在这种周期性的恐惧中，我度过了自己的少年。其实仔细想想，即使在远日点，地球也未脱离太阳氦闪的威力圈。如果那时太阳爆发，那地球就不是被气化，而是被慢慢液化。那还真不如在近日点呢。

在逃逸时代，大灾难接踵而至。

由于地球发动机产生的加速度及运行轨道的改变，地核中铁镍核心的平衡被扰动，其影响波及地幔，各个大陆地热逸出，火山横行，这对于人类的地下城市是致命的威胁。自第六次变轨周期后，在各大陆的地下城中，岩浆渗入频繁发生。

那天当警报响起来的时候，我正走在放学回家的路上。我听到市政厅的广播："F112市全体市民注意，城市北部屏障已被地应力破坏。岩浆渗入！岩浆渗入！现在岩浆流已到达第四街区！公路出口被封死，全体市民到中心广场集合，通过升降梯向地面撤离。注意，撤离时按《危急法》第五条行事，强调一遍，撤离时按《危急法》第五条行事！”

我环视了一下四周迷宫般的通道，地下城现在看上去并没有什么异常。但我知道现在的危险：只有两条通向外部的地下公路，其中一条去年因加固屏障的需要已被堵死，如果剩下的这条也被堵死了，就只有通过经竖井直通地面的升降梯逃命了。升降梯的荷载量很小，要把这座城市的36万人运出去需要很长时间。但也没有必要去争夺生存的机会，联合政府的《危急法》把一切都安排好了。

古代曾有过一个伦理学问题：当洪水到来时，一个只能救走一个人的男人，是去救他的父亲呢，还是去救他的儿子？在这个时代的人看来，提出这个问题很不可理解。

当我到达中心广场时，看到人们已按年龄排起了长长的队伍。最靠近电梯口的是由机器人保育员抱着的婴儿，然后是幼儿园的孩子，再往后是小学生……我排在队伍中间靠前的部分。爸爸现在在近地轨道值班，城里只有我和妈妈。我看不到妈妈，就顺着几千米长的队伍往后跑，没跑多远就被士兵拦住了。我知道妈妈在队伍的最后一段，因为这个城市主要是学校集中地，家庭很少，她已经算年纪大的人了。

队伍以让人心焦的速度缓慢地向前移动。三个小时后我跨进升降梯，心里一点儿都不轻松，因为这时在妈妈和生存之间，还隔着两万多名大学生呢！而我已闻到了浓烈的硫黄味……

我到达地面两个半小时后，岩浆就吞没了整座地下城市。我心如刀绞地想象着妈妈最后的时刻：她同没能撤出的18000人一起，看着岩浆涌进市中心广场。那时已经停电，整个地下城只有岩浆那恐怖的暗红色光芒。广场高大的白色穹顶在高温中渐渐变黑，所有的遇难者可能还没接触到岩浆，就被这上千度的高温夺去了生命。

生活还在继续。在这严酷而恐惧的现实中，爱情不时闪现出迷人的光辉。为了缓解人们紧张的情绪，在第12次到达远日点时，联合政府居然恢复了中断了两个世纪的奥运会。我作为一名机动雪橇拉力赛的选手参加了奥运会。我驾驶机动雪橇，自家出发，从冰面上横穿冰封的太平洋，到达终点纽约。

发令枪响过之后，上百只雪橇在冰冻的海洋上以每小时200千米左右的速度出发了。开始还有几只雪橇相伴，但两天后，他们或前或后，都消失在地平线之外。这时背后地球发动机的光芒已经看不到了，我正处于地球最黑的地带。在我眼中，世界就是由广阔的星空和向四面无限延伸的冰原组成的，这冰原似乎能一直延伸到宇宙的尽头，或者它本身就是宇宙的尽头。而在无限的星空和冰原组成的宇宙中，只有我一个人！雪崩般的孤独感压倒了我，我想哭。我拼命地赶路，名次已无关紧要，只想尽早地摆脱这可怕的孤独感，而那想象中的彼岸似乎根本就不存在。

这时，我看到天边出现了一个人影。靠近后，我发现那是一个姑娘，正站在她的雪橇旁，她的长发在冰原上的寒风中飘动着。这时遇见一个姑娘，你知道这对我意味着什么吗？——我们的后半生由此决定了。她叫小彬。女子组比我们先出发12个小时，她的雪橇卡在冰缝中，一根滑杆卡断了。我一边帮她修雪橇，一边把自己刚才的感觉告诉她。

“你说得太对了，我也是那样的感觉！是的，好像整个宇宙中就只有自己！知道吗？我看到你从远方出现时，就像看到太阳升起一样！”

“你为什么不叫救援飞机？”

“这是一场体现人类精神的比赛。要知道，流浪的地球在宇宙中是叫不到救援的！”她挥动着小拳头，执着地说。

“不过现在总得叫了，我们都没有备用滑杆，你的雪橇修不好了。”

“如果你不在意名次的话，那我们就坐你的雪橇一起走吧。”

我当然不在意，于是我和小彬一起在冰冻的太平洋上走完了剩下的漫长路程。经过夏威夷后，我们看到了天边的曙光。在这被小小的太阳照亮的无际冰原上，我们向联合政府的民政部发去了结婚申请。

当我们到达纽约时，这个项目的裁判们早等得不耐烦，收摊走了。但有一个民政局的官员在等着我们，他向我们致以新婚的祝贺，然后开始履行他的职责：他挥手在空中划出一个全息图像，上面整齐地排列着几万个圆点，这是这几天全世界向联合政府登记结婚的数目。由于环境严酷，法律规定每三对新婚配偶中只有一对有生育权，这由抽签决定。小彬对着半空中那几万个点犹豫了半天后，点了中间的一个。当那个点变为绿色时，她高兴得跳了起来。但我的心中不是滋味，我的孩子出生在这个苦难的时代，是幸运还是不幸呢？那个官员倒是兴高采烈，他说每当一对儿“点绿”的时候他都十分高兴。我们身后，遥远的太阳用它微弱的光芒给自由女神像镀上了一层金色的光辉。对面，是已不再住人的曼哈顿的摩天大楼群，微弱的阳光把它们的影子投在纽约港寂静的冰面上，我不由地涌出了眼泪。

地球，我的流浪地球啊！

分手前，官员递给我们一串钥匙，说：“这是你们在亚洲分到的房子，回家吧！哦，家多好啊！”

“有什么好的？”我漠然地说，“亚洲的地下城充满危险，你们在西半球当然体会不到。”

“我们马上也有你们体会不到的危险了，地球又要穿过小行星带，这次是西半球对着运行的方向。”

“上几个变轨周期也经过小行星带，不是没什么大事吗？”

“那几次只是擦着小行星带的边缘走，太空舰队用激光和核弹，把地球航线上的那些小石块都清除掉。但这次……你们没看新闻？这次地球要从小行星带正中穿过去！舰队只能对付那些大石块，唉……”

在回亚洲的飞机上，小彬问我：“那些石块很大吗？”

我父亲现在就在太空舰队做那项工作，所以尽管政府为了避免惊慌照例封锁了消息，我还是知道一些情况。我告诉她，那些石块大得像一座大山，5000万吨级的热核炸弹只能在上面打出一个小坑。“他们就要使用人类手中威力最大的武器了！”我神秘地告诉她。

“你是说反物质炸弹？！”

“还能是什么？”

“太空舰队的巡航范围是多大？”

“现在他们力量有限，我爸说只有150万千米左右。”

“啊，那我们能看到了！”

“最好别看。”

小彬还是看了，而且是没戴护目镜看的。反物质炸弹的第一次闪光是在我们起飞不久后从太空传来的，那时小彬正在欣赏飞机舷窗外空中的星星，这使她的双眼失明了一个多小时，并且在之后的一个多月都红肿流泪。

那真是让人心惊肉跳的时刻，反物质炮弹不断地击中小行星，强光此起彼伏地在漆黑的太空中闪现，仿佛宇宙中有一群巨人正围着地球，用闪光灯疯狂拍照似的。

半小时后，我们看到了火流星，它们拖着长长的火尾划破长空，给人一种恐怖的美感。火流星越来越多，每一个在空中划过的距离也越来越长。突然，机身在一声巨响中震颤了一下，紧接着又是连续的巨响和震颤。小彬惊叫着扑到我怀中，她显然以为飞机被流星击中了，这时机舱里响起了机长的声音。

“请各位乘客不要惊慌，这是流星冲破音障产生的超音速爆音。请大家戴上耳机，否则您的听觉会受到永久性的损害。由于飞行安全已无法保证，我们将在夏威夷紧急降落。”

这时我盯住了一个火流星，那个火球的体积比别的大出许多，我不相信它能在大气中烧完。果然，那火球疾驰过大半个天空，越来越小，但还是坠入了冰海。从万米高空上看到，海面被击中的位置出现了一个小白点，那白点立刻扩散成一个白色的圆圈，并迅速在海面扩大。

“那是浪吗？”小彬颤着声问我。

“是浪，上百米的浪。不过海冻住了，冰面会很快使它衰减的。”我自我安慰地说，不再看下面。

我们很快在檀香山降落，由当地政府安排去地下城。我们的汽车沿着海岸走，天空中布满了火流星，仿佛是从太空中的某一个点同时迸发出来的。一颗流星在距海岸不远处击中了海面，没有看到水柱，但水蒸气形成的白色蘑菇云高高地升起。涌浪从冰层下传到岸边，厚厚的冰层轰隆隆地破碎了，冰面显出了浪的形状，好像有一群柔软的巨兽在下面排着队游过。

“这块有多大？”我问那位来接待我们的官员。

“不超过五千克。不过刚接到通知，在北方800千米外的海面上，刚落下一颗20吨左右的。”

这时他手腕上的通信机响了，他看了一眼后对司机说：“来不及到204号门了，就近找个入口吧！”

汽车拐了个弯，在一个地下城入口前停了下来。我们下车后，看到入口处有几个士兵，他们都一动不动地盯着远方，眼里充满了恐惧。我们顺着他们的目光看去——在天海连线处，有一层黑色的屏障，乍一看好像是天边低低的云层，但那“云层”太整齐了，像一堵横在天边的墙，再仔细看，墙头还镶着一线白边。

“那是什么呀？”小彬怯生生地问一个军官，得到的回答让我们汗毛直竖。

“浪。”

地下城高大的铁门隆隆地关上了，约莫过了10分钟，我们听到从地面传来的低沉的声音，像一个巨人在地面打滚。我们面面相觑，大家都知道，百米高的巨浪正在滚过夏威夷，也将滚过各个大陆。另一种震动更吓人，仿佛有一只巨拳从太空中不断地击打地球，震动并不大，只能隐约感觉到，但每一次震动都直达我们灵魂深处。这是流星在不断地击打地面。

我们的星球所遭到的残酷轰炸断断续续持续了一个星期。

当我们走出地下城时，小彬惊叫：“天啊，天怎么是这样的！”

天空是灰色的，这是因为高层大气弥漫着小行星撞击陆地时产生的灰尘，星星和太阳都消失在这无际的灰色中，仿佛整个宇宙处于一场大雾中。地面上，滔天巨浪留下的海水还没来得及退去就封冻了，城市幸存的高楼形单影只地立在冰面上，挂着长长的冰凌柱。冰面上落了一层撞击尘，于是这个世界只剩下一种颜色：灰色。

我和小彬继续回亚洲。在飞机越过早已无意义的国际日期变更线时，我们见到了人类所见过的最黑的黑夜，飞机仿佛潜行在墨汁的海洋中，我们的心情也低落到了极点。

“什么时候是个头呢？”小彬喃喃地说。我不知道她指的是这个旅程还是这充满苦难的生活，我现在觉得两者都没有尽头。是啊，即使地球航行出了氦闪的威力圈，我们得以逃生，又怎么样呢？我们只是那漫长阶梯的最末一级，当我们的100代重孙爬上阶梯的顶端，见到新生活的光明时，我们的骨头都变成灰了。我不敢想象未来的苦难和艰辛，更不敢想象要带着爱人和孩子走过这条看不到头的泥泞路，我累了，实在走不动了……就在我被悲伤和绝望窒息的时候，机舱里响起了一声女人的惊叫：

“啊！不！不能，亲爱的！！”

我循声看去，见那个女人正从旁边的一个男人手中夺下一支手枪，他刚才显然想把枪口凑到自己的太阳穴上。这人很瘦弱，目光呆滞地看着前方。女人把头埋在他膝上，嘤嘤地哭了起来。

“安静。”男人冷冷地说。

哭声消失了，只有飞机发动机的嗡嗡声在轻响。我感觉，飞机已被粘在这巨大的黑暗中，一动不动，而整个宇宙，除了黑暗和飞机，什么都没有了。小彬钻在我怀里，浑身冰凉。

突然，机舱前部有一阵骚动，有人在兴奋地低语。我向窗外看去，发现飞机前方出现了一片朦胧的光亮。那光亮是蓝色的，没有形状，十分均匀地出现在前方弥漫着撞击尘的夜空中。

那是地球发动机的光芒。

虽然西半球的地球发动机已被陨石击毁了三分之一，但损失比起航前的预测要少；东半球的地球发动机由于背向撞击面，发动机完好无损。从功率上来说，它们是能使地球完成逃逸航行的。

在我眼中，前方朦胧的蓝光，如同在深海经历漫长的上浮后看到海面的亮光，我的呼吸又顺畅起来。

我又听到那个女人的声音:“亲爱的，死了、死了就什么也没有了，那边只有黑暗。还是活着好，你说呢？”

瘦弱的男人没有回答，他盯着前方的蓝光看，眼泪流了下来。我知道他能活下去了，只要那希望的蓝光还亮着，我们就都能活下去，我又想起了父亲关于希望的那些话。

下了飞机，我和小彬到设在地面的太空舰队基地去找父亲。但在基地，我只见到了追授给他的一枚冰冷的勋章。这勋章是一名空军少将给我的，他告诉我，在清除地球航线上的小行星的行动中，一块被反物质炸弹炸出的小行星碎片击中了父亲的单座微型飞船。

“当时那个石块和飞船的相对速度有每秒100千米，撞击使飞船瞬间气化了，他没有一点痛苦，我向您保证，没有一点痛苦。”将军说。

当地球又向太阳跌回去的时候，我和小彬到地面上来看春天，但没有看到。世界仍是一片灰色，阴暗的天空下，大地上分布着由残留海水形成的一个个冰冻湖泊，见不到一点绿色。大气中的撞击尘挡住了阳光，使气温难以回升。甚至在近日点，海洋和大地都没有解冻，太阳呈一个朦胧的光晕，仿佛是撞击尘后面的一个幽灵。

三年以后，空中的撞击尘才有所消散，人类终于最后一次通过近日点，向远日点升去。在这个近日点，东半球的人有幸目睹了地球历史上最快的一次日出和日落。太阳从海平面上一跃而起，迅速划过长空，大地上万物的影子快速地变换着角度，仿佛无数根正在走动的钟表的秒针。这也是地球上最短的一个白天，只有不到一个小时。当一小时后太阳跌入地平线，黑暗降临大地时，我感到一阵伤感。这转瞬即逝的一天，仿佛是对地球在太阳系45亿年进化史的一个短暂的总结。直到宇宙的末日，太阳不会再回来了。

“天黑了。”小彬忧伤地说。

“最长的一夜。”我说。东半球的这一夜将延续2500年，100代人后，人马座的曙光才能照亮这个大陆。西半球也将面临最长的白天，但比这里的黑夜要短得多。在那里，太阳将很快升到天顶，然后一直停在那个位置，并渐渐变小，在半世纪内，它就会溶入星群，难以分辨了。

按照预定的航线，地球升向与木星的会合点。航行委员会的计划是：地球第15圈的公转轨道是如此之扁，以至它的远日点到达木星轨道，地球将与木星在几乎相撞的距离上擦身而过，在木星巨大引力的拉动下，地球将最终达到逃逸速度。

离开近日点后两个月，肉眼就能看到木星了。开始时，它只是一个模糊的光点，但很快显出圆盘的形状，又过了一个月，木星在地球上空已有满月大小了，呈暗红色，能隐约看到上面的条纹。这时，15年来一直垂直的地球发动机光柱中有一些开始摆动，地球在做会合前最后的姿态调整，木星渐渐沉到了地平线下。之后的三个多月，木星一直在地球的另一面，我们看不到它，但知道两颗行星正在交会之中。

有一天，我们突然被告知东半球也能看到木星了，便纷纷从地下城中来到地面。当我走出城市的密封门来到地面时，发现开了15年的地球发动机已经全部关闭了，我再次看到了星空，这表明地球同木星最后的交会正在进行。人们都紧张地盯着西方的地平线，地平线上出现了一片暗红色的光，光区渐渐扩大，延伸到整个地平线的宽度。我现在发现那暗红色的区域上方同漆黑的星空有一道整齐的边界。那边界呈巨大的弧形，从地平线的一端跨到了另一端，在缓缓升起，巨弧下的天空都变成了暗红色，仿佛一块同星空一样大小的暗红色幕布在把地球同整个宇宙隔开。当我回过神来时，不由倒吸一口冷气，那暗红色的“幕布”就是木星！我早就知道木星的体积是地球的1300倍，现在才真正感觉到它的巨大。当它上升起时产生的那种恐惧和压抑感是难以用语言描述的，一名记者后来写道：“不知是我身处噩梦中，还是这整个宇宙都是造物主巨大而变态的头脑中的一场噩梦！”木星恐怖地上升着，渐渐占据了半个天空。这时，我们可以清楚地看到它云层中的风暴，那风暴把云层搅动成让人迷茫的混乱线条，我知道那厚厚的云层下是沸腾的液氢和液氦的大洋。著名的大红斑出现了，这个在木星表面维持了几十万年的大旋涡，大得可以吞下整个地球。这时木星已占满了整个天空，地球仿佛是一只气球，飘浮在木星沸腾的暗红色云海上，而木星的大红斑就处在天空正中，如一只红色的巨眼，盯着我们的世界，大地笼罩在它那阴森的红光中……这时，谁都不信小小的地球能逃出这巨大怪物的引力场，甚至连成为木星的卫星都不可能，我们就要掉进去了，掉进那无边无际的深渊中去了！但领航工程师们的计算是精确的，木星在缓缓移动。不知过了多长时间，西方的天边露出了黑色的一角，那黑色迅速扩大，还有星星在上面闪烁——这说明地球正在冲出木星的引力场。这时，警报声尖锐地响起来，木星产生的引力潮汐正在向内陆推进。在跑进地下城的密封门前，我最后看了一眼仍占据半个天空的木星，发现木星的云海中有一道明显的划痕，后来知道，那是地球引力作用在木星表面的痕迹，我们的星球也在木星表面拉起了如山的液氢和液氦的巨浪。这时，木星巨大的引力正在把地球加速甩向外太空。

离开木星时，地球已达到了逃逸速度，它不再需要返回潜藏着死亡的太阳系，开始向广袤的外太空飞去，漫长的流浪时代开始了。

在木星暗红色的阴影下，我的儿子在地层深处出生了。

三 叛 乱

离开木星后，亚洲大陆上一万多台地球发动机再次全功率开动，这一次它们要一刻不停地运行500年，不停地为地球加速。在这500年中，发动机将把亚洲大陆上一半的山脉当作燃料消耗掉。

从四个多世纪死亡的恐惧中解脱出来，人们长舒了一口气。但预料中的狂欢并没有出现，接下来发生的事情出乎所有人的想象。

在地下城的庆祝集会后，我一个人穿上密封服来到地面。童年时熟悉的群山已被超级挖掘机夷为平地，大地上只有裸露的岩石和坚硬的冻土，冻土上到处是白色的斑块，那是大海潮留下的盐渍。眼前这座曾有千万人口的大城市现在已是一片废墟，爷爷和爸爸曾在这儿度过了一生，高楼的残骸在地球发动机的蓝光中拖着长长的影子，好像是史前巨兽的化石……一次次的洪水和小行星的撞击已摧毁了地面上的一切，各个大陆上的城市和植被都荡然无存，地球表面已变成火星一样的荒漠。

这一段时间，小彬心神不定。她常常扔下孩子不管，一个人开着飞行汽车出去旅行，回来后，只是说她去了西半球。最后，她拉我一起去了。

我们的飞行汽车以四倍音速飞行了两个小时，终于能够看到太阳了，它刚刚升出太平洋，这时看上去只有棒球大小，给冰封的洋面投下一片微弱的、冷冷的光芒。小彬把飞行汽车悬停在五千米的高空中，然后从后面拿出了一架天文望远镜。小彬打开车窗，把望远镜对准太阳，让我看。

从有色镜片中我看到放大了几百倍的太阳，我甚至能清楚地看到太阳表面缓缓移动的明暗斑点，还有太阳边缘隐隐约约的日珥。

小彬把望远镜同车内的计算机联起来，把一个太阳影像采集下来。然后，她又调出了另一个太阳的图像，说：“这是四个世纪前的太阳。”接着，计算机对两个图像进行比较。

“看到了吗？”小彬指着屏幕说：“它们的光度、像素排列、像素概率、层次统计等参数都完全一样！”

我摇摇头说：“这能说明什么？一架玩具望远镜，一个低级图像处理程序，加上你这个无知的外行……别自寻烦恼了，别信那些谣言！”

“你是个白痴。”她说着，收回望远镜，把飞行汽车往回开去。这时，在我们的上方和下方，我又远远地看到了几辆飞行汽车，同我们刚才一样悬在空中，从每辆车的车窗中都伸出一架望远镜对着太阳。

以后的几个月中，一个可怕的说法像野火一样在全世界蔓延。越来越多的人自发地用更大型更精密的仪器观测太阳。后来，一个民间组织向太阳发射了一组探测器，探测器发回的数据最后证实了那个事实。

同四个世纪前相比，太阳没有任何变化。

现在，各大陆地下城的局势都一触即发。一天，按照联合政府的法令，我和小彬把儿子送进了养育中心。回家的路上我们俩都感到，维系我们关系的唯一纽带已不存在了。在市中心广场，我们看到有人在演讲，另一些人在演讲者周围向市民分发武器。

“公民们！地球被出卖了！人类被出卖了！！文明被出卖了！！！我们都是一个超级骗局的牺牲品！这个骗局之巨大之可怕，上天都会为之休克！太阳还是原来的太阳，它不会爆发，过去、现在、将来都不会，它是永恒的象征！爆发的是联合政府中那些人阴险的野心！他们编造了这一切，只是为了建立他们的独裁帝国！他们毁了地球！他们毁了人类文明！！公民们，有良知的公民们！拿起武器，拯救我们的星球！拯救人类文明！！我们要推翻联合政府，控制地球发动机，把我们的星球从这寒冷的外太空开回原来的轨道！开回到太阳温暖的怀抱中！！”

小彬默默地走上前去，接过了一支冲锋枪，加入到那些拿到武器的市民的队列中，她没有回头，同那支庞大的队列一起消失在地下城的迷雾里。我呆呆地站在那儿，手在衣袋中紧紧攥着父亲用生命和忠诚换来的那枚勋章，它的边角把我的手扎出了血……

三天后，叛乱在各个大陆同时爆发了。

叛军所到之处，人民群起响应。但我加入了联合政府的军队，这并非由于对政府的信仰，而是我家祖上三代都有过军旅生涯，他们在我心中种下了忠诚的种子。不论在什么情况下，背叛联合政府对我来说都是一件无法想象的事。

美洲、非洲、大洋洲和南极洲相继沦陷，联合政府收缩防线死守地球发动机所在的东亚和中亚。叛军很快包围了这些地方，他们对政府军占有压倒性的优势，但由于叛军不想毁掉地球发动机，所以在这一广阔的战区没有使用重武器，使得联合政府得以苟延残喘。双方这样相持了三个月，联合政府的12个集团军相继临阵倒戈，中亚和东亚防线全线崩溃。两个月后，大势已去的联合政府，和它不到10万人的军队，在靠近海岸的地球发动机控制中心陷入重围。

我就是这残存军队中的一名少校。控制中心有一座中等城市大小，它的中心是地球驾驶室。我拖着一条被激光束烧焦的手臂，躺在控制中心的伤兵收容站里。就是在这儿，我得知小彬已在澳洲战役中阵亡的消息。我和收容站里的所有人一样，整天喝得烂醉，对外面的战事全然不知，也不感兴趣。不知过了多久，我听到有人在高声说话。

“知道你们为什么会这样吗？你们在自责，在这场战争中，你们站到了反人类的一边，我也一样。”

我转头一看，发现讲话的人肩上有一颗将星，他接着说：“没关系的，我们还有最后的机会拯救自己的灵魂。地球驾驶室距我们这儿只有三个街区，我们去占领它，把它交给外面理智的人类！我们为联合政府已尽到了责任，现在该为人类尽责任了！”

我用那只没受伤的手抽出手枪，随着这群突然狂热起来的人，沿着钢铁的通道，向地球驾驶室冲去。一路上我们不仅没遇到抵抗，反而有越来越多的人加入我们。最后，我们来到了一扇巨大的门前，那钢铁大门高得望不到顶。它轰隆隆地打开了，我们冲进了地球驾驶室。

尽管以前无数次在电视中看到过，所有的人还是被驾驶室的宏伟震惊了。从视觉上看不出这里的大小，因为驾驶室淹没在一幅巨型全息图中。那是一幅太阳系的模拟图。整个图像实际就是一个向各个方向无限延伸的黑色空间，我们一进来，就悬浮在这空间之中。为了尽量反映真实的比例，太阳和行星都很小很小，小得像远方的萤火虫。以代表太阳的光点为中心，一条醒目的红色螺旋线扩展开来。这是地球的航线。在螺旋线最外面的一点上，航线变成明亮的绿色，那是地球还没有完成的路程。那条绿线从我们的头顶掠过，顺着看去，我们看到了灿烂的星海，绿线消失在星海的深处，我们看不到它的尽头。在这广袤的黑色空间中，还飘浮着许多闪亮的灰尘，其中几个尘粒飘近，我发现那是一块块虚拟屏幕，上面翻滚着复杂的数字和曲线。

我看到了全人类瞩目的地球驾驶台，它好像是飘浮在黑色空间中的一个银白色的小行星，看到它我更难以把握这里的巨大——驾驶台本身就是一个广场，现在上面密密麻麻地站着5000多人，包括联合政府的主要成员、负责实施地球航行计划的航行委员会的大部分成员，和那些最后忠于政府的人。这时我听到最高执政官的声音在整个黑色空间响了起来。

“我们本来可以战斗到底的，但这可能导致地球发动机失控，这种情况一旦发生，过量聚变的物质将烧穿地球，或蒸发全部海洋，所以我们决定投降。我们理解所有的人，因为在已经进行了四个世纪、还要延续100代人的艰难奋斗中，永远保持理智确实是一个奢求。但也请所有的人记住我们，站在这里的这5000多人，有联合政府的最高执政官，也有普通的士兵，是我们把信念坚守到了最后。如果人类得以延续万代，以后所有的人将在我们的墓前洒下自己的眼泪，而这颗叫作地球的行星，就是我们永恒的纪念碑！”

控制中心巨大的密封门隆隆地开启，那5000多名最后的地球派一群群走了出来，在叛军的押送下向海岸走去。路两边挤满了人，所有人都冲他们吐唾沫，用冰块和石块砸他们。他们中有人密封服的面罩被砸裂了，但仍努力地走下去。我看到一个小女孩，举起一大块冰用尽全身力气狠命地向一个老者砸去，她那双眼睛透过面罩射出疯狂的怒火。

这5000人全部被判处死刑。我觉得这太宽容了，这一死就能偿清他们的罪恶吗?！能偿清他们用一个离奇变态的想象和骗局毁掉地球、毁掉人类文明的罪恶吗？他们应该死一万次！还有那些预测太阳爆发的天体物理学家，那些设计和建造地球发动机的工程师，他们在一个世纪前就已作古，我现在真想把他们从坟墓中挖出来，让他们再死一万次。

死刑的执行者们，收走了这5000人密封服上加热用的核能电池，然后把他们丢在大海的冰面上，让零下百度的严寒慢慢夺去他们的生命。

这些人类文明史上最险恶、最可耻的罪犯在冰海上站了黑压压的一片。岸上有十几万人在看着他们，十几万双眼睛喷出和那个小女孩一样的怒火。

这时，所有的地球发动机都已关闭，壮丽的群星出现在冰原之上。

我能想象出严寒像无数把尖刀刺进他们的身体，他们的血液在凝固，生命从他们的体内一点点逝去。这种想象变成一种快感，传遍我的全身。看到那些人在严寒的折磨中慢慢死去，岸上的人们快活地唱起了《我的太阳》。我也跟着唱，眼睛看着星空的一个方向，在那个方向上，有一颗圆盘形状的星星发出黄色的光芒，那就是太阳。

啊，我的太阳，生命之母，万物之父，我的神！还有什么比您更稳定，还有什么比您更永恒，我们这些渺小的，连灰尘都不如的碳基细菌，拥挤在围着您转的一粒小石头上，竟敢预言您的末日，我们怎么能蠢到这个程度?!

一个小时过去了，海面上那些反人类的罪犯虽然还全都站着，但已没有一个活人，他们的血液已被冻结了。

我的眼睛突然什么都看不见了，几秒钟后，冰原、海岸和岸上的人群又在眼前慢慢显现，最后完全清晰了，而且比刚才更清晰，因为这个世界笼罩在一片强烈的白光中，刚才我的眼睛失明正是受到这突然出现的强光的刺激。但星空没有重现，所有的星光都被这强光淹没，仿佛整个宇宙都被强光融化了。这片强光是从太空中的一点迸发出来的，那一点现在成了宇宙的中心，就在我刚才盯着的方向。

太阳氦闪爆发了。

合唱戛然而止，岸上的十几万人呆住了。

太阳最后一次把它的光和热撒向地球。地面上的冻结的二氧化碳干冰首先熔化，腾起了一阵白色的蒸气；然后冰面也开始溶化，受热不均的大海冰层发出惊天动地的巨响；渐渐地，照在地面上的光柔和起来，天空出现了微微的蓝色；

后来，强烈的太阳风产生的极光在空中出现，苍穹中飘动着巨大的彩色光幕……

在这突然出现的灿烂阳光下，海面上最后的地球派们仍稳稳地站着，仿佛5000多尊雕像。

太阳爆发只持续了很短的时间，两个小时后强光开始急剧减弱，很快熄灭了。在太阳的位置上出现了一个暗红色球体，它的体积慢慢膨胀，已达到了在地球轨道上看到的太阳大小，那么它的实际体积已大到越出火星轨道，而这时水星、火星和金星这三颗地球的伙伴行星已在上亿度的辐射中化为一缕轻烟。但它已不是太阳，它不再发出光和热，如同贴在太空中一张冰冷的红纸，它那暗红色的光芒似乎是周围星光的散射。这就是小质量恒星演化的最后归宿：红巨星。

50亿年的壮丽生涯已成为飘逝的梦幻，太阳死了。

幸运的是，还有人活着。

四　流浪时代

当我回忆这一切时，半个世纪已过去了。20年前，地球飞出了冥王星轨道，飞出了太阳系，在寒冷广袤的外太空继续着它孤独的航程。

最近一次去地面是十几年前的事了，那是儿子和儿媳陪我去的，儿媳是一个金发碧眼的姑娘，就要做母亲了。

到地面后，我首先注意到，虽然所有地球发动机仍全功率地运行，巨大的光柱却看不到了，这是地球大气已消失、等离子体的光芒没有散射的缘故。我看到地面上布满了奇怪的黄绿相间的半透明晶体块，这是固体氧氮，是已冻结的空气。有趣的是，空气并没有均匀地冻结在地球表面，而是形成了小山丘似的不规则的隆起，在原来平滑的大海冰原上，这些半透明的小山形成了奇特的景观。银河系的星河纹丝不动地横过天穹，也像是被冻结了，但星光很亮，看久了还刺眼呢。

地球发动机将不间断地开动500年，然后地球将以光速的千分之五滑行1300年，走完三分之二的航程，之后它将调转发动机的方向，开始长达500年的减速，地球在航行2400年后会到达比邻星，再过100年的时间，它将泊入这颗恒星的轨道，成为它的一颗行星。

我知道已被忘却
流浪的航程太长太长
但那一时刻要叫我一声啊
当东方再次出现霞光

我知道已被忘却
起航的时代太远太远
但那一时刻要叫我一声啊
当人类又看到了蓝天

我知道已被忘却
太阳系的往事太久太久
但那一时刻要叫我一声啊
当鲜花重新挂上枝头

每当听到这首歌，一股暖流就涌进我这年迈、僵硬的身躯，让我干涸的双眼再度湿润。我好像看到人马座三颗金色的太阳在地平线上依次升起，万物沐浴在它温暖的光芒中。固态的空气熔化了，变成了碧蓝的天。2000多年前的种子从解冻的土层中复苏，大地绿了。我看到我的第100代孙子孙女们在绿色的草原上欢笑，草原上有清澈的小溪，小溪中有银色的鱼儿……我看到了小彬，她在绿色的大地上向我跑来，年轻美丽……

啊，地球，我的流浪地球……

圆圆的肥皂泡

一

很多人生来就会莫名其妙地迷上某样东西，仿佛他（她）的出生就是为了和这样东西约会似的。圆圆正是这样，她迷上了肥皂泡。

圆圆出生后一直无精打采，连啼哭都像是在应付差事，显然这个世界让她很失望。

直到她遇到肥皂泡。

第一次看到肥皂泡时圆圆才五个月大，她立刻在妈妈怀中手舞足蹈起来，小眼睛里爆发出足以使太阳星辰都黯然失色的光芒，仿佛她这时才第一次真正地看到这个世界。

这是西北的一个正午，已经数月无雨，烈日下的城市弥漫着沙尘，在这异常干燥的世界中，那飘浮在空中的肥皂泡确实是绝美的东西。看到小女儿能体会这种美，为她吹出肥皂泡的爸爸很高兴，抱着她的妈妈也很高兴。妈妈的产假还有一个月才满，可她这时已急着回实验室工作了。

二

时光飞逝，圆圆进幼儿园大班了，她仍然热爱肥皂泡。

这个星期天和爸爸出去玩，她的小衣袋中就装着吹泡泡的小瓶，爸爸许诺要让妈妈带她在飞机上吹泡泡。这并不是吹牛，他们真的去了近郊的一个简易机场，妈妈做飞播造林研究用的飞机就停在那里。那是一架破旧的双翼农用飞机。圆圆很失望，觉得它是旧木板做的，像童话中的猎人在森林中住的破木屋，不相信它能飞起来。但就是这破飞机，妈妈也不让圆圆坐。

“今天是孩子的生日，你还加班不回家，让圆圆坐坐飞机，总能给她个惊喜嘛！”爸爸说。

“惊喜什么呀，她这么大分量，我要少带多少树种。”妈妈说着，又把一个沉重的大塑料包吃力地搬进舱门。

圆圆咧嘴大哭起来。妈妈赶紧来哄她，从一个塑料袋里拿出一件奇怪的东西，样子和大小与胡萝卜差不多，头儿尖尖的呈流线型，屁股上还有一对用硬纸板做的尾翼，看上去像个小炸弹，但是透明的，很好玩的样子。圆圆伸手去抓，但小手立刻又松开了，这是冰做的。妈妈指着小炸弹中心的一个小黑粒，说那就是树种："飞机从好高的地方把这些冰炸弹扔下去，它们落到地上时会扎进沙土中。春天来了冰炸弹就会在沙土里悄悄地化开，融化的水会让种子发芽。如果把好多好多这样的冰炸弹投下去，沙漠就会变绿，沙子就不会吹到我们圆圆的小脸儿上了，这是妈妈的研究项目，它若成功了，能使西北干旱地区飞播造林的成活率提高一倍。"

"孩子懂什么成活率，真是！圆圆，咱们走！"爸爸抱起圆圆，气鼓鼓地走了，妈妈没有留他们，只是赶紧用双手又捧了一下女儿的脸蛋儿。

圆圆感到妈妈的手比爸爸的粗糙多了。

圆圆伏在爸爸的肩膀上看到"猎人木屋"（飞机代号）轰鸣着起飞，她对着飞机吹出一串肥皂泡，看着它消失在沙尘弥漫的空中。

爸爸抱着圆圆走出了机场，在公路边的车站等着回市里的汽车，圆圆感到爸爸的身体突然颤抖了一下。

"爸爸，你冷吗？"

"不。圆圆，你没听到什么？"

"嗯？没有呀。"

但他听到了，那是一声沉闷的爆炸，从飞机的方向传来，隐隐约约的，他几乎是用第六感听到的。他猛地回头看着那个方向，在他和女儿背后，大西北干旱的大地冷酷地凝视着苍穹。

三

时光继续飞逝，圆圆上了小学，她仍然热爱肥皂泡。

清明节，她和爸爸来到妈妈墓前。当爸爸把鲜花放到那朴素的墓碑前时，圆圆吹出了一串泡泡。爸爸正要发作，女儿的一句话使他平静下来，双眼湿润了。

“妈妈会看到的！”圆圆指着飘过墓碑的肥皂泡说。

“孩子啊，你要做一个妈妈那样的人，像她那样有责任感和使命感，像她那样有一个远大的人生目标！”爸爸搂着圆圆说。

“我有远大的目标呀！”圆圆喊道。

“说给爸爸听听？”

“吹——”圆圆指着已飞远的肥皂泡，“大——大——的——泡——泡！”

爸爸苦笑着摇摇头，拉着女儿走了。这里距几年前飞机坠毁的地点不远，当年由天而降的冰炸弹播下的种子确实都成活了，长成了小树苗，但最后的胜利者仍是无边的干旱，飞播林在干旱少雨的第二年都死光了，沙漠化仍在继续着它不可阻挡的步伐。爸爸回头看，夕阳将墓碑的影子拉得好长好长，圆圆吹出的肥皂泡已经一个都不见了，像墓中人的理想，像西部大开发美丽的梦幻。

四

时光继续飞逝，圆圆上了中学，她仍然热爱肥皂泡。

这天，圆圆年轻的女班主任来家访，递给爸爸一把新奇漂亮的玩具手枪，说是圆圆在课上玩，让物理老师没收的。那把枪有个大肚子，枪管顶部固定着一个天线似的圆圈，爸爸翻来覆去地看，不知道怎么玩，“这是泡泡枪。”班主任说着，拿过来一扣扳机，随着一阵嗡嗡的轻响，从枪口的小圆圈上飞出一长串肥皂泡。

班主任告诉爸爸，圆圆的学习成绩一直在同年级中领先，她最大的长处是有很强的创造性思维。班主任说自己还是第一次看到思想这么活跃的学生，告诉爸爸要珍惜这棵好苗子。

“你不觉得这孩子……怎么说呢，有些轻飘飘的吗？”爸爸手拿着泡泡枪问。

“现在的孩子嘛，都这样。其实在这个新时代，轻松洒脱一些的思想和性格也不一定就是缺点。”

爸爸叹口气，挥挥泡泡枪结束了谈话。他觉得和这个班主任没什么可谈的，她自己几乎还是个孩子呢。

送走了班主任，爸爸想和圆圆谈谈泡泡枪的问题，但立刻发生了另一件让他不快的事。

“又换了一个？今年你已经换过一个了！”爸爸指着圆圆挂在胸前的手机问。

“没有呀，人家只是换了个壳儿嘛！看，这能给我新鲜的感觉。”圆圆说着，拿出了一个扁盒子，爸爸打开来，看到一排鲜艳的色块，最初以为是绘画颜料一类的东西，仔细一看才发现那是12个手机外壳，12种色彩。

爸爸摇摇头，把盒子放在一边，“我正想和你谈谈你的这种……嗯，思想倾向。”

圆圆看到了爸爸手中的泡泡枪，一把抢了过来：“爸爸，我保证以后不带它去学校了！”说完，她对着爸爸射出一串泡泡。

“我要说的不是这个，我要说的问题比这深刻得多，圆圆，你看你这么大了还喜欢吹肥皂泡……”

“不行吗？”

“不，这本来不算什么大问题。我是说，你的这种喜好反映出了你的一种，嗯，刚才说过的——思想倾向。”

圆圆不解地看着父亲。

“这说明你倾向于追求美丽、新奇而虚幻的东西，容易对远离现实的幻影着迷，你的双脚将离开大地，会将你的人生引向一个错误的方向。”

圆圆看看满屋飘浮着的肥皂泡，显得更迷惑了。那些肥皂泡像一群透明的金鱼，在空气中幽幽地游着。

“爸爸，咱们还是谈一些更有趣的事吧！”圆圆靠到爸爸的肩膀上，语气变得神秘起来，“爸，我们的班主任漂亮吗？”

“没注意。圆圆，我刚才的意思是……”

“她显然很漂亮的！”

“也许吧。我刚才要说的是……”

“爸爸，您真没注意到她和您说话时的眼神？她好像被您吸引了！”

“我说你这个孩子，就不能少想些无聊的事？！”爸爸生气地把女儿的手从肩上拨开。

圆圆长叹一声：“唉，爸爸呀爸爸，您已经变成了一个对什么都提不起兴趣的人了，您这没有新鲜没有新奇没有激动的日子，有什么劲呢？还好意思当别人的人生导师。”

一个肥皂泡飘到爸爸脸前爆裂了，他隐约感到了一小股弱得不能再弱的湿润水汽，这一场转瞬即逝的微型毛毛雨令他感到片刻的陶醉，不可思议，这竟让他想起了自己遥远的南方故乡。他不为人察觉地叹息了一下。

“我年轻的时候也追逐过梦想，和你妈妈从故乡来到这里，天真地把大西北看作实现自己人生价值的地方。我们那批建设者用了那么短的时间，就让荒漠上出现了这座崭新的城市，我们曾把它当作一生的骄傲，想在我们离开人世之前，能让这城市证明自己没有虚度一生。谁能想到，它不过是我们这一代人用青春甚至生命吹出的一个肥皂泡。”

圆圆很吃惊：“丝路市怎么是肥皂泡呢？她可是实实在在的，总不会啪一下消失吧？”

“它将消失。”

“那要把我们渴死吗？现在已经是两天来一次水，每次只来一个半小时！”

“政府正在制订一个为期十年的拆迁计划，整座城市将全部分散迁移，丝路市将成为现代世界第一座因缺水而消失的城市，一个现代的楼兰。其实，曾让年轻的我们热血沸腾的整个西部大开发，现在都已经变成了噩梦般的西部大开矿——谁知道，这是不是一个更大的肥皂泡呢？”

“哇，太棒了！”圆圆欢呼起来，“早就该离开这地方了！一个平淡乏味的地方，我真的不喜欢这里！迁移！迁移到一个全新的地方，开始全新的生活，这是多美妙的事啊，爸爸！”

爸爸默默地看了女儿一会儿，站起身来走到窗前，呆呆地看着黄沙中的城市。他双肩下垂的背影，看上去一下子老了许多。

“爸——”圆圆轻轻叫了一声，父亲没有回答。

两天后，圆圆的爸爸成为这座即将消失的城市的最后一任市长。

五

高考结束了，圆圆取得了全省理科第二名的好成绩。爸爸是难得彻底地高兴一次，慷慨地问女儿有什么要求，过分些也行。圆圆冲他张开一个巴掌。

“五？五个什么？”

“五块透明皂，”说着，她又张开另一个手掌，“10袋洗衣粉，”又把两手翻了一下，“20瓶洗洁精，”最后拿出一张纸，“最重要的是这些化学药剂，照清单上的分量买。”

那些化学药剂让爸爸费了些事，他请一个在外出差的同事跑了一天才买齐。

拿到这些东西后，圆圆一头扎进了卫生间，在里面忙活了三天，配制了整整一浴缸的溶液，那溶液一股怪味，弥漫到家里的每个房间。第四天，两个男生送来了她定做的一个直径一米多的圆环，那圆环是用一根钻了许多小眼的长金属管弯成的。

第五天，家里早早就有一群人来访。包括：两个来自电视台的摄像师；一位漂亮女士，是省电视台一个娱乐节目的主持人；还有两个穿得花里胡哨的家伙，其中一位沙哑着嗓子说：

“市长先生，您的女儿……咳咳……这地方空气真干燥……您的女儿要创造吉尼斯纪录了！”

市长随着这群人爬到开阔的楼顶上，发现圆圆和她的几个同学已经到了。圆圆扛着那个大圆环，他们面前放着一个大澡盆，里面盛满了她配的那种溶液。那两个穿得花里胡哨的人开始架设两根有刻度的标杆，后来才知道那是用来测量肥皂泡直径的。

一切准备就绪后，圆圆把那个圆环伸进澡盆，再提出来时环面已附着了一层液膜。她小心地把圆环固定在一根长杆顶端，走到楼顶边缘，挥动长杆使圆环在空中画了一个大圈，吹出了一个巨大的肥皂泡。那个泡泡在空中颤颤巍巍地变着形，像是在跳舞。这个肥皂泡的直径竟达4.6米，打破了由比利时人凯利斯保持的3.9米的吉尼斯纪录。

“液体的配方是很重要的，但窍门还在这个大环上。”圆圆对主持人说，“那个比利时人用的是普通的液膜环圈，而我的环是由铅管弯成的，上面还钻了一排洞，管里能充满发泡液体，在大泡的形成过程中，这些液体不断地从小孔中涌出，参与成泡。这样，就可以形成巨大的泡泡了。”

“那么，你还有可能制造出更大的泡泡来吗？”主持人问。

“当然能！这就要研究肥皂泡形成的几个要素，它包括液体黏度、延展性、蒸发率和表面张力，但形成超大泡泡的关键需要降低蒸发率，因为蒸发是泡壁破裂的主要原因之一；还要调整表面张力……你知道为什么纯水吹不出泡泡吗？”

“当然是因为它的表面张力太小了。”

“恰恰相反，这是因为水的表面张力太大了，形不成气泡。再问一句，你知道肥皂泡形成以后，它的表面张力与直径大小有什么关系？”

“照你说的，张力越小泡泡就越大呗。”

“不！当泡泡形成后，随着直径的增大，它反而需要增大自己的表面张力，以维持泡壁的强度。这就出现一个问题：液体的表面张力是恒定的，那么要想吹出超大的泡泡，我们该解决什么问题呢？”

主持人茫然地摇摇头，她属于口齿伶俐、头脑简单的那一类。圆圆看出了这点，说：“算了，我们还是给观众们再吹几个大泡泡吧！”

于是，又有几个直径四五米的大肥皂泡顺风飘行在城市上空，在这沙尘弥漫的干旱世界中，它们显得那么不真实，仿佛是来自另一个世界的幻影。

一个星期后，圆圆离开了这座西北城市，到一所实力较强的理工科大学去学习纳米专业了。

六

时光继续飞逝，但圆圆不再吹肥皂泡了。

圆圆读完了学士、硕士和博士，然后以令她爸爸头晕目眩的速度开始创业。她以读博士时发明的一项技术为基础，开发了一种新的太阳能电池，成本仅为传统单晶硅电池的几十分之一，可以当作马赛克贴到整个建筑表面上。仅三四年时间，她的公司就发展到几亿元资产的规模，成为纳米技术催生的一大批急剧膨胀的奇迹企业之一。

圆圆的爸爸由此陷入了一个尴尬的境地。以事业的成功程度而言，女儿现在已经有资格教导父亲了。看来当年圆圆那个漂亮的班主任说得有道理，轻松洒脱的思想和性格不一定就是缺点。这是一个令父亲这代人恼火的时代，现在的成功需要的是逼人的思想灵气，经验、毅力和使命感之类的不起决定作用。

“很久没有过这种感觉了，这是我听过的最好的演唱，他们确实比上一代那三个强。”在剧院出口，爸爸边走边说。爸爸喜欢听古典美声，这是他为数不多的爱好之一，圆圆就趁爸爸开会之际，请他听新一代世界三大男高音为即将到来的奥运会举办的演唱会。

“早知道我该买座位最好的票，怕您又嫌我浪费，才买了两张中等的。”

“这票多少钱一张？”爸爸随口问。

“好像28000元吧。”

“啊？什么？！”

看着爸爸目瞪口呆的样子，圆圆笑了起来：“如果您喜欢，就是28万元也值。看这座大剧院，投资几十个亿，还不是为了人们从艺术中得到或找回某种感觉？”

“也许你有道理，我还是希望你的钱能花到更有意义的地方。圆圆，我想与你谈谈有关丝路市的事，你能不能进行一项市政投资？”

“是什么？”

“一个大型的水处理工程，建成后能够大大提高城市用水的循环利用率，还能够用太阳能淡化一部分盐湖的水。如果这个系统能够实现，丝路市就能在缩小规模后继续存在下去，避免完全消失的命运。”

“投资多少？”

“初步规划，大约16个亿吧。大部分资金已有来源，但到位还需要很长时间。所以现在需要你投入一笔启动资金，约1个亿吧。”

“爸爸，不行，我目前能周转的资金也就这么多了，我想用它搞一个研究项目……”

爸爸举起手挥了挥，打断女儿的话：“那就算了。圆圆，我可不想影响你的事业。其实，我本来没打算向你提这个要求的，这个项目虽然能保证你收回投资，但利润回报微乎其微。”

“我这个项目更惨，别说赢利，投资肯定都会打水漂！”

“你想搞基础研究吗？”

“不，但也不是应用研究，是好玩儿的研究。”

“……”

“我将研制一种超级表面活性剂，已为它想好了名字，叫‘飞液’。它的溶液黏性和延展性比现有的任何液体都大几个数量级，蒸发速度仅是甘油的千分之一。这种表面活性剂溶液还具有一个神奇的特性——它的表面张力能够随着液层的厚度和液面的曲率自动调节，调节范围从水的张力的百分之一到它的1万多倍。”

“它是干什么用的？”爸爸惊恐地问，他已知道答案，但还是不敢相信。

年轻的亿万富翁搂住爸爸的肩膀大声说：“吹——大——大——的——泡——泡！”

“你不是开玩笑吧？”

圆圆看着友谊街上的灯火，沉默了好久：“谁知道呢？也许我的生活就是一个大玩笑。但，爸爸，我觉得这也没有什么不好，一个人用一生开一个玩笑也是一种使命吧。”

“用1亿元吹泡泡？有什么用吗？”父亲觉得自己在做梦。

“没什么用，好玩呗。不过，比起你们当年用几百个亿建一座很快就拆掉的城市，我的奢侈微不足道。”

“可你现在能救这座城市，它也是你的城市，你在那里出生、长大。你却用这笔钱吹肥皂泡！你……也太自私了！”

“我在过自己的生活，无私奉献并不一定能推动历史，您的那座城市就是证明！”

直到圆圆把车开上友谊街，父女俩都没有再说话。

“对不起，爸爸。”圆圆轻声说。

“最近，我总是想起拉着你小手的那些日子，那是多好的时光啊。”灯光中，父亲的双眼一闪一闪的，似乎有些湿润。

“我让您失望了。我知道，您一直想让我成为妈妈那样的人，如果我有两次人生的话，那我会分一次给责任和使命，可是，爸爸，我只能活一次。”

爸爸没再说话。当这沉默的路程快结束时，圆圆拿出一个大纸袋递给父亲。

“这是什么？”父亲不解地问。

“房产证和钥匙。爸，我给您买了一幢别墅，您退休后可以回到南方了。”

爸爸把纸袋轻轻地推开：“不，孩子，我会在丝路市的废墟上度过余生。我和你妈妈的青春和理想都埋在这儿，我离不开了。”

整个城市在夏夜里尽情地闪烁着，看着那绚丽的光海，圆圆和父亲竟同时联想到肥皂泡，那无边的灿烂似乎在极力向他们展示着什么，是生命之重还是生命之轻？

七

两年后的一天，市长在办公室里接到了女儿的电话。

“爸爸，生日快乐！”

“呵，圆圆，你在哪儿？”

“离您那儿不远，我给您送生日礼物来了！”

“唉，我好多年没过生日了。那中午我们一起回家吧，我也有一个多月没回家了。”

“不，礼物现在就送给您！”

“我在上班呢，马上要开会了。”

“没关系，您打开窗向天上看！”

今天的天空万里无云，蓝得清澈——在这一地区是很少见的天气。空中传来引擎的轰鸣声，市长看到一架飞机在城市上空缓缓地盘旋着，在蓝天的映衬下非常漂亮。

“爸爸，我在飞机上呢！”圆圆在电话中喊道。

这是一架老式双翼螺旋桨飞机，在空中像一只懒洋洋的大鸟。时光瞬间闪回，一种熟悉的感觉闪电般出现。爸爸浑身颤抖了一下，20多年前他也这样过，那时女儿问他是不是冷。

“圆圆，你在干什么？！”

“要送礼物啦，爸爸，注意飞机下面！”

市长刚才就发现，飞机的机腹下面吊着一个大环，那环的直径比飞机还长，显然是升空以后才展开的。整体看去，飞机和大环组成了一个在空中飞行的戒指。后来他才知道，那个大环的结构同圆圆破吉尼斯纪录时用的环一样，由轻型金属管制成，管内充满了那种叫“飞液”的液体。环面上罩着一层飞液的液膜，环上有无数的小洞，使飞液能够不断地从围成大圆环的细管中流出。

令人震惊的景象出现了：在那个大环后面，形成了一个大肥皂泡！它反射着阳光，时隐时现。肥皂泡急剧膨胀，很快，飞机与它相比只是西瓜上的一粒小芝麻。

城市广场上的人都在驻足仰望，市政府办公大楼里也开始有人跑出去看。

飞机拖着巨泡在城市上空缓缓盘旋，肥皂泡的膨胀速度大大减慢，但仍在继续着。最后，它脱离了大环，独自在空中飘浮着。虽然巨泡的进气口已经消失，它的膨胀却没有停止，这是由于阳光的热量在泡内聚集，并使其中的空气膨胀的缘故。渐渐地，巨泡占据了半个天空！

“这就是礼物，爸爸！”圆圆在电话中兴奋地喊着。

蓝天上晃动着大片的闪光，仿佛整个天空就是一张平滑的玻璃纸，正被一双无形的大手在阳光下抖动着。细看去，那些闪光勾勒出一个巨大的球体形状，那个透明球体此时占据了大部分天空，下面的人们得将头转动近180度才能看全它。它仿佛是地球在天空的镜面上投下的一个晶莹的幻影。

城市骚动起来，大街上开始交通堵塞。

巨泡缓缓从空中降下来，当它降到足够低时，地面上的人们竟然在泡壁上看到了城市高楼的镜像，由于泡壁在风中波动，高楼扭曲变形，像是海中的植物林。这广阔的泡壁从上方气势磅礴地压下来，人们不由得捂住了脑袋。当巨泡接触地面时，人们的身体穿过泡壁，只感到脸上痒痒了一下。

巨泡没有破碎，而是呈一个直径近10千米的半球形立在大地上。这座城市，连同边缘的一座火力发电厂和一个化工厂，全被巨泡扣在其中！

“我们不是故意的，真的不是故意的！”圆圆对着摄像机说，“这儿一向风很大，大泡本该顺风飘走的，谁想到今天的风力竟这么弱，所以它才掉了下来，把城市扣住了！”

爸爸看着市电视台临时插播的紧急现场报道，他看到女儿身穿航空皮夹克，拉链敞开着，露出里面的蓝色工作服。她的身后，是那架老式双翼飞机……时光再次闪回，太像了，太像了……市长的心融化了，泪水夺眶而出。

两个小时后，市长同刚刚成立的紧急小组一起，驱车来到了巨泡泡壁的部位，圆圆和她的几个工程师早已等在那里。

“爸爸，我的肥皂泡很棒吧？！”圆圆没有了刚才的恐慌，一脸不合时宜的兴奋。

爸爸没理女儿，抬头打量着泡壁。这是一张在阳光下发光的大膜，变幻着结构精细的衍射条纹，像一个展示色彩的海洋。大膜是全透明的，让外部世界也蒙上了一层霓彩。

爸爸伸出一只手，小心地触摸着泡壁，手背感到一阵极其轻微的搔痒，手已在膜的另一面了。这膜可能只有几个分子的厚度。他抽回手来，膜瞬间恢复原状，那一处的光纹仍是完整的形状，仿佛根本没有断裂过。

现在，象征着虚幻的肥皂泡已是现实，透过它看到的现实世界，反倒变得虚幻起来。

其他人也开始触摸大膜，然后试图撕裂膜面，最后发展成对大膜拳打脚踢。市长的司机从车里拿出一根铁棍，抡圆了击打膜面……所有的打击物都毫无阻碍地穿膜而过，膜面完好无损。市长挥手制止了大家的徒劳，指向远处的高速公路。人们看到，车流正在不间断地高速穿过大膜。

“这同肥皂泡膜的性质一样：固体可以穿过，但不透气。”圆圆说。

“正是因为它不透气，现在城市里的空气质量在急剧恶化。”市长瞪了一眼圆圆说。

众人抬头看去，发现城市上空出现了一个巨大的白色半球。这是城市和工厂产生的烟雾聚集在泡内而产生的。这时，如果从远处看城市，恐怕只能看到一个顶天立地的乳白色半球了。

“可能需要关闭发电厂和化工厂，以减缓空气污染的速度。”紧急小组组长说，“但最严重的问题是泡内气温的上升，现在城市处于一个密闭极好的温室内，阳光的热量在快速聚集，现在正值盛夏，据测算，泡内气温最终将达到60摄氏度！”

“到现在为止，都用了哪些方法来打破它？”市长问。

一名驻军指挥官回答：“一小时前，陆军航空兵的直升机在泡顶反复穿过，试图用螺旋桨撕裂它，没有用；后来又用炸药在泡壁与地面的交接处进行爆破，爆炸只是使大膜波动了一会儿，没有造成任何破坏，更奇怪的是，这张膜居然瞬间延伸到爆炸产生的大坑中，天衣无缝地横穿过坑的底部！”

市长问圆圆：“大泡要多长时间才会自然破裂？”

“大泡的破裂主要是靠泡壁液体的蒸发，这种蒸发速度是极慢的，即使日照良好，大泡也得五六天才能破。”圆圆回答。

“那只有全城紧急疏散了。”紧急小组组长叹了口气说。

市长摇摇头：“不到万不得已，不能走这一步。”

“还有一个办法，”一名环境专家说，“赶制许多长筒，口径越大越好，把这些筒的一头伸出泡外，在筒的底部装上大功率换气扇，以实现与外界的空气交换。”

“哈哈哈……”圆圆大笑起来，把大家吓了一跳，她在众人气愤的目光中笑得直不起腰来，“这想法真……够滑稽的！哈哈哈……”

“这都是你干的好事！”市长厉声喝斥道，“你要对此负责：赔偿造成的一切损失！”

圆圆止住笑，说：“我们会赔的。不过我刚想出一个办法——烧。在泡壁与地面交接线的内侧，挖一条一两百米长的壕沟，沟中灌满燃油并把它点燃，火焰会大大加速泡壁的蒸发，可以在三个小时左右使大泡破裂。”

按照圆圆的方案，城市的边缘出现了一道100多米长的火墙，在那一排冲天烈焰的上方，被火舌舔着的泡壁变幻着怪异的色彩和图案，飞液正在涌过来补充，这使得大膜上被

烧灼的位置像一个大旋涡，绚丽妖艳的色彩洪水般地从四面八方涌来，消失在火焰中。火焰的黑烟顺着泡壁上升，在天空中形成了一个黑色巨掌，令大泡中的市民惊恐不已。

三小时后，大泡破裂了。市民们听到天地间发出一声轻微的破碎声，这声音清脆悠扬深远，仿佛宇宙的琴弦被轻轻拨动了一下。

“爸爸，我很奇怪，您并没有暴跳如雷。”圆圆说。这时，父女俩正站在市政府大楼的楼顶看着大泡破裂。

“我一直在思考一件事……圆圆，你认真回答我几个问题。”

“关于大肥皂泡的？”

“是的。我问你，既然泡壁是不透气的，那大泡也能保持住内部的湿润空气了？”

“当然。其实，在研制‘飞液’时，我曾想，大泡可作为超大型温室，来制造小型气候区，为土地提供适合作物生长的湿度和温度。当然，这还要使大泡更持久些。”

“第二个问题：你能让大泡随风飘很远吗？比如说几千千米？”

“可以。阳光的热量使泡内的空气膨胀，会产生类似于热气球的浮力。至于今天这个大泡的坠落，只是因为它生成的位置太低，风也太小了。”

“第三个问题：你能让大泡在确定的时间破裂吗？”

“这也不难，只需调整‘飞液’的成分，再改变它的蒸发速度就行了。”

“最后一个问题：如果有足够的资金，你能够吹出几千万甚至上亿个大泡吗？”

圆圆吃惊地瞪大双眼：“上亿个？天啊，你要干什么！？”

“想象这样一幅图景：在遥远的海洋上空，吹起无数个大肥皂泡，它们在平流层强风的吹送下，飞到大西北上空，然后全部破裂，把海洋上的潮湿空气释放在我们这里。这也就是运来雨水！”

震惊和激动使圆圆一时间说不出话来，只是呆呆地看着父亲。

“圆圆，你送给我一件伟大的生日礼物！”

这时，清凉的风吹过城市。东方的天空中有一道色彩奇异的彩虹，那是“飞液”散布到空中形成的。

八

向中国西部空中调水的宏大工程进行了10年。

这10年，在中国南海和孟加拉湾，建成了许多巨大的天网。这些天网是由表面布满小孔的细管构成，每个网有几百米甚至上千米的直径，与圆圆在10多年前用来吹超级肥皂泡的大圆环大小差不多。每张天网有几千个网眼。

天网分陆基和空中两种，陆基天网沿海岸线布设，空中天网则由巨型系留气球悬挂在几千米的高空上。在南海和孟加拉湾，天网在海岸线和海洋上空连绵2000多千米，被称作“泡泡长城”。

空中调水系统首次启动的那天，构成天网的细管中充满了飞液，并在每个网眼上形成一层液膜。潮湿而强劲的海风在天网上吹出了无数巨型气泡，它们的直径都有几千米。这些气泡相继脱离天网，一升入平流层，随风而去，同时，更多的气泡从天网上源源不断地被吹出来。

大群的巨型气泡包裹着海洋的湿气，浩浩荡荡地飘过了喜马拉雅山，飘过了大西南，飘到大西北上空，在南海、孟加拉湾和大西北之间的天空中，形成了两条长达数千千米的气泡长河！

九

在空中调水系统正式启动的两天后，圆圆从孟加拉湾飞到大西北的一座省会城市。当她走下飞机时，看到一轮圆月静静地悬在夜空中，从海上启程的气泡还没有到达。城市的月光下都是人，圆圆也挤在其中，同他们一起热切地等待着。到了午夜，人群渐渐散去。圆圆没走，她知道气泡在今夜一定会到达这里。她坐在一把长椅上，正在睡意蒙胧之际，突然听到有人喊：

“天啊，怎么这么多月亮！”

圆圆睁开眼，真的在夜空中看到了一条月亮河！无数个巨型气泡映出无数月亮。它们都是弯月，有上弦月，也有下弦月，每个都是那么晶莹剔透，真正的月亮倒显得平淡无奇了。

从此，大西北的天空成了梦的天空。

白天，空中的气泡看不太清楚，只是蓝天上到处是泡壁的反光，像阳光下泛着涟漪的湖面，大地上则缓缓运行着气泡巨大而清晰的影子。清晨和黄昏是最壮丽的时刻——地平线上的朝阳或夕阳将天空中的气泡长河镀上灿烂的金色。

但这些美景并不会存在很久，气泡相继破裂。更多的气泡滚滚而来，天空中的云渐渐多了起来。

接着，在这个往年最干旱的时节，天空下起了绵绵细雨。

圆圆在雨中来到了自己出生的这座城市。经过十年的搬迁，丝路市已成了一座寂静的空城。一座座空荡的高楼在小雨中静静矗立。圆圆注意到，这些建筑都被保护得很好，窗上的玻璃还都完整，整座城市仿佛在沉睡中等待着肯定要到来的苏醒之日。

小雨掩盖了尘埃，空气清新怡人。圆圆慢慢地走在她熟悉的街道上。那些街道，爸爸曾拉着她的小手无数次地走过，曾撒落过她吹出的无数个肥皂泡，圆圆的心里响起了一首童年的歌。

突然她发现，这歌真的在响。这时，天已黑了，在整座浸没于夜色中的空城里，只有一扇窗户亮着灯，那是一幢普通住宅楼的二楼，是她的家，歌声就是从那里传出来的。

圆圆来到楼前，看到周围收拾得很干净，还有一小片菜地，里面的菜长得很好。菜地边有一辆小工具车，车上装有大铁桶，显然是用来运水浇地的。即使在朦胧的夜色中，她也能感受到这里的生活气息。在这一片沉寂的空城里，这种气息像沙漠中的绿洲一样令人神往。

圆圆走上了清扫干净的楼梯，轻轻地推开家门，看到灯下头发花白的父亲。他躺在躺椅上，陶醉地哼着那首老歌，手里拿着圆圆小时候用来装肥皂液的小瓶儿，还有那个小小的塑料吹环，正吹出一串五光十色的肥皂泡。

诗　云

引　子

乘着一艘游艇，伊依一行三人在南太平洋上做吟诗航行。他们的目的地是南极，如果几天后能顺利地到达那里，那他们将钻出地壳去看诗云。

这天，天空和海水都很清澈。对于作诗而言，世界显得太透明了。抬头望去，平时难得一见的美洲大陆清晰地出现在天空中，在东半球构成的覆盖世界的巨大穹顶上，大陆好像是墙皮脱落的区域……

哦，现在人类生活在地球里面。更准确地说，人类生活在“气球”里面。哦，地球已变成了气球。地球被掏空了，只剩下一层厚约100千米的薄壳，但大陆和海洋还原封不动地存在着，大气层也还在，只不过都跑到地壳里面去了，所以地球变成了一个内壁贴着海洋和大陆的气球。空心地球仍在自转，但自转的意义与以前已大不相同——它产生重力，薄薄地壳的那点质量产生的引力是微不足道的。但这样的重力在世界各个区域是不均匀的：赤道上最强，约为1.5个原地球重力，随着纬度增高，重力也渐渐减小，两极地区的重力为零。现在，吟诗游艇所在的纬度上的重力，正好是原地球的标准重力，但依然很难令伊依找到原先世界的感觉。

空心地球的球心悬浮着一个小太阳，现在正午的阳光照耀着世界。这个太阳的光度在24小时内不停地变化，由最亮渐变至熄灭，由此形成了空心地球里的昼夜更替。在适当的夜里，它还会发出月亮的冷光，但只是从上面的一点发出的，所以看不到满月。

游艇上的三“人”中，有两个其实不是人，一个是名叫“大牙”的恐龙，它高达10米的身躯一动，游艇就跟着摇晃、倾斜，这令站在船头的吟诗者很烦。吟诗者是一个干瘦的老头儿，须发皆白。他身着唐朝的服饰，仙风道骨，仿佛是在海天之间挥洒写就的一个狂草字。

他就是新世界的创造者，伟大的——李白。

一　礼　物

事情是从10年前开始的。当时，吞食帝国刚刚完成了对太阳系长达两个世纪的掠夺，来自远古的恐龙驾驶着那个直径50000千米的“环形世界”飞离太阳系，航向天鹅座方向。吞食帝国还带走了被恐龙掠去当作小家禽的12亿人类。但就在接近土星轨道时，“环形世界”突然开始减速，最后竟沿原轨道返回，重新驶向太阳系内层空间。

在吞食帝国开始它的返程后的一个大环星期，使者大牙乘坐飞船飞离大环，它的衣袋中装着一个叫伊依的人类。

“你是一件礼物！”大牙对伊依说，眼睛看着舷窗外黑暗的太空。它那粗犷的嗓音震得衣袋中的伊依浑身发麻。

“送给谁？”伊依在衣袋中仰头大声问，他能从袋口看到恐龙的下颚，像是一大块悬崖顶上突出的岩石。

“送给神！神来到了太阳系，这就是帝国返回的原因。”

“真的是神吗？”

“它们掌握了不可思议的技术，已经纯能化，并且能瞬间从银河系的一端跃到另一端，这不就是神？如果我们能得到那些超级技术的百分之一，那吞食帝国的前景就很光明了。我们正在完成一个伟大的使命，你要学会讨神的喜欢！”

“为什么选中了我？我的肉质很次的。”伊依说。他30多岁，与吞食帝国精心饲养的那些肌肤白嫩的人类相比，他看起来很沧桑。

“神不吃虫虫，只是收集。饲养员说你很特别，你好像还有很多学生？”

“我是一名诗人，现在在饲养场的家禽人中教授古典文学。”伊依很吃力地念出了“诗”“文学”这类在吞食语中很生僻的词。

“无用又无聊的学问。饲养员默许你授课，是因为你的课有助于改善虫虫们的肉质……我观察过，你自视清高、目空一切，这很有趣。”

“诗人都是这样！”伊依在衣袋中站直。尽管他知道大牙并看不见，但还是骄傲地昂起头。

“你的先辈参加过地球保卫战吗？”

伊依摇摇头：“我的先辈在那个时代也是诗人。”

“诗人是一种最无用的虫虫，在当时的地球上也十分稀少。”

“诗人生活在自己的内心世界里，对外部世界的变化并不在意。”

“没出息……呵，我们快到了。”

听到大牙的话，伊依从衣袋中伸出头来，透过宽大的舷窗向外看。他看到了飞船前方悬浮着两个物体，一个是正方形平面，一个是球体。当飞船与平面齐平时，它短暂地消失了一下，这说明它几乎没有厚度。球体悬浮在平面正上方，两者都发出柔和的白光，表面均匀。这两个东西仿佛是从计算机图库中取出的两个元素，是这纷乱的宇宙中两个简明而抽象的概念。

“神呢？”伊依问。

“就是这两个几何体啊，神喜欢简洁。”

距离拉近，伊依发现平面有足球场大小。飞船在平面上降落，发动机喷出的火流首先接触到平面，仿佛接触到一个幻影，没有在上面留下任何痕迹，但伊依感觉到了重力和飞船接触平面时的震动。显然，大牙以前来过这里，他毫不犹豫地拉开舱门走了出去，伊依看到他同时打开了气密过渡舱的两道舱门，心一下抽紧了，但他并没有听到舱内空气涌出时的呼啸声。当大牙走出舱门后，衣袋中的伊依嗅到了清新的空气，脸上感到了习习的凉风……这是人和恐龙都无法理解的超级技术，它温柔和漫不经心的展示震撼了伊依。与人类第一次见到吞食帝国时相比，这震撼更加深入灵魂。他抬头看，以灿烂的银河为背景，球体悬浮在他们的上方。

“使者，这次你又给我带来了什么小礼物？”神问。他说的是吞食语，音量不高，仿佛从太空深渊中传来，让伊依第一次感觉到粗陋的恐龙语言也很悦耳。

大牙抓出伊依放到平面上，伊依的脚底感到了平面的弹性。大牙说：“尊敬的神，得知您喜欢收集各个星系的小生物，我带来了这个很有趣的小东西：地球人类。”

“我只喜欢完美的小生物，你把这么肮脏的虫拿来干什么？”神说。球体和平面发出的白光微微地闪动了两下，可能是表示厌恶。

“您知道这种虫？！”大牙惊奇地抬起头。

“听这个旋臂的一些航行者提到过，不是太了解。在这种虫子不算长的进化史中，这些航行者曾频繁地光顾地球。他们认为，这种生物的思想之猥琐、行为之低劣、其历史之混乱和肮脏，都很让他们恶心，以至直到地球世界毁灭之前，都没有一个航行者愿意同它们建立联系……快把它扔掉。”

大牙抓起伊依，转动着硕大的脑袋看看可以往哪儿扔。“垃圾焚化口在你后面。”神说。大牙一转身，看到身后的平面上突然出现了一个小圆口，里面闪着蓝幽幽的光……

“你不要这样说！人类建立了伟大的文明！！”伊依用

吞食语声嘶力竭地大喊。

球体和平面的白光又颤动了两次，神冷笑了两声："文明？使者，告诉这个虫什么是文明。"

大牙把伊依举到眼前，伊依甚至听到了恐龙的两个大眼球骨碌碌转动时的声音，他说："虫虫，在这个宇宙中，对一个种族文明程度的统一考量尺度是这个种族所进入的空间的维度，只有进入六维以上空间的种族才具备加入文明大家庭的起码条件。我们尊敬的神的一族已能够进入11维空间。吞食帝国虽然能在实验室中小规模地进入四维空间，也只能算是银河系中一个未开化的原始群落。而你们，在神的眼里也就是杂草和青苔一类的东西。"

"快扔了，脏死了。"神不耐烦地催促道。

大牙举着伊依向垃圾焚化口走去，伊依拼命挣扎，从衣服中掉出了许多白色的纸片。当那些纸片飘落时，球体中射出一条极细的光线，定住了它，光线飞快地在上面扫描了一遍。

"等等，这是什么东西？"

大牙把伊依悬在焚化口上方，扭头看着球体。

"那是……是我的学生们的作业！"伊依在恐龙的巨掌中吃力地挣扎着说。

"这种方形的符号很有趣，它们组成的小矩阵也很好玩。"神说。从球体中射出的光束又飞快地扫描了落在平面上的那几张纸。

“那是汉……汉字，这些是用汉字写的古诗！”

“诗？”神惊奇地问，收回了光束，“使者，你应该懂一些这种虫的文字吧？”

“当然。在吞食帝国吃掉地球前，我在它们的世界生活了很长时间。”大牙把伊依放到焚化口旁边的平面上，弯腰拾起一张纸，举到眼前吃力地辨认着上面的小字：“它的大意是……”

“算了吧，你会曲解它的！”伊依挥手制止大牙说下去。

“为什么？”神很感兴趣地问。

“因为这是一种只能用汉语表达的艺术，即使翻译成人类的其他语言，都会失去大部分内涵和魅力。”

“使者，把你的计算机中这种语言的数据库，还有有关地球历史的一切知识，给我传过来吧，就用我们上次见面时建立的那个信道。”

大牙急忙返回飞船，在舱内的电脑上捣鼓了一阵，嘴里嘟囔着：“古汉语部分没有，还要从帝国的网络上传过来，可能有些时滞。”伊依从敞开的舱门中看到，恐龙的大眼球中映射着电脑屏幕上变幻的彩光。当大牙再次走出飞船时，神已经能用标准的汉语读出一张纸上的中国古诗了：

“白日依山尽，黄河入海流，欲穷千里目，更上一层楼。”

“您学得真快！”伊依惊叹道。

神没有理他，只是沉默着。

大牙解释说：“它的意思是，恒星已在行星的山后面落下，一条叫黄河的河流向着大海的方向流去，哦，这河和海都是由一个氧原子和两个氢原子构成的化合物组成，要想看得更远，就应该登得更高些。”

神仍然沉默着。

“尊敬的神，你不久前曾莅临吞食帝国，那里的景色与这首诗描写的景色十分相似，有山有河也有海，所以……”

“所以我明白诗的意思，”神说。球体突然移动到大牙头顶上，伊依觉得它就像一只没有眸子的大眼睛，正盯着大牙看，“但你没有感觉到什么吗？”

大牙茫然地摇摇头。

“我是说，一些隐含在这些方块符号矩阵的表面含义后的东西。”

大牙更茫然了，于是神又吟诵了一首古诗：

“前不见古人，后不见来者，念天地之悠悠，独怆然而涕下。”

大牙赶紧殷勤地解释道：“这首诗的意思是，向前看，看不到在遥远过去曾经在这颗行星上生活过的虫；向后看，看不到未来将要在这行星上生活的虫；于是感到时空太广大了，就哭了。”

神沉默。

“哭是生活在地球的虫表达悲哀的一种方式，这时，它们的视觉器官……”

“你仍没感觉到什么吗？”神打断了大牙的话问，球体又向下降了一些，几乎贴到大牙的鼻子上。

大牙这次坚定地摇摇头：“尊敬的神，我想这背后什么也没有。”

接下来，神又连续吟诵了几首古诗，都很简短，且属于题材空灵、超脱的一类，有李白的《下江陵》《静夜思》和《送孟浩然之广陵》，柳宗元的《江雪》，崔颢的《黄鹤楼》和孟浩然的《春晓》等。

大牙说：“在吞食帝国，有许多长达百万行的史诗。尊敬的神，我愿意把它们全部献给您！相比之下，人类虫虫的诗是这么简单，就像他们的技术……”

球体忽地从大牙头顶飘开，随意地飘行着说：“使者，我知道你们最大的愿望就是希望我回答这个问题：吞食帝国已经存在了8000万年，为什么你们的技术仍徘徊在原子时代？我现在有答案了。”

大牙热切地望着球体说：“尊敬的神，这个答案对我们很重要！求您……”

“尊敬的神，”伊依举起一只手大声说，“我也有一个问题，不知能不能问？”

大牙恼怒地瞪着伊依，像要把他一口吃了似的，但神说:“我仍然讨厌这种虫，但那些小矩阵为你赢得了这个权利。”

“艺术在宇宙中普遍存在吗？”

球体在空中微微颤动，似乎在点头:“是的，我就是一名宇宙艺术的收集和研究者。我穿行于星云间，接触过众多文明的各种艺术，它们大多是庞杂而晦涩的体系。用如此少的符号，在如此小巧的矩阵中蕴含着如此丰富的感觉层次和含义分支，而且这种表达还要在严酷得有些变态的诗律和音韵的约束下进行，这，我确实是第一次见到……使者，现在可以把这虫虫扔了。”

大牙再次抓住伊依，说:“对，该扔了它。尊敬的神，吞食帝国中心网络中存贮的人类虫虫文化资料是相当丰富的，现在您已经拥有了所有资料，而这个虫虫，大概就记得那么几首小诗。”说着，大牙向焚化口走去。“把这些纸片也扔了。”神说。大牙又赶紧返身去收拾纸片，这时伊依高喊:

“神啊，请保留这些纸片吧！您收集到了一种不可超越的艺术，在宇宙中传播它吧！”

“等等，”神再次制止了大牙，伊依已经悬到了焚化口上方，他感到了火焰的热力。球体飘过来，在距伊依的额头几厘米处悬定，逼视着伊依，问:“不可超越？”

“哈哈哈……”大牙举着伊依大笑起来，“一个可怜的虫虫居然在伟大的神面前说这样的话，滑稽！人类还剩下什么？你们失去了地球上的一切，即便夺不走的科学知识也忘得差不多了。有一次，我在吃一个人之前问他：地球保卫战争中的人类的原子弹是用什么做的？他说是原子做的！

“哈哈哈……”神也大笑起来，球体颤动成了椭圆，“不可能有比这更正确的回答了，哈哈哈……”

“尊敬的神，所以这些脏虫虫就剩下那几首小诗了！哈哈哈……”

“但它们是不可超越的！”伊依在大爪中挺起胸膛庄严地说。

球体停止了颤动，用近似耳语的声音说：“技术能超越一切。”

“这与技术无关，这是人类心灵世界的精华，不可超越！”

“那是因为你不知道技术最终能具有什么样的力量。小虫虫，小小的虫虫，你不知道。”神的语气变得如母亲一般温柔，但潜藏着的杀气让伊依不寒而栗。神说：“看着太阳。”

伊依按神的话做了。这是位于地球和火星轨道之间的太空，太阳的光芒使他眯起了双眼。

“你最喜欢的颜色是什么？”神问。

“绿色。”

话音刚落，太阳变成了绿色。那绿色妖艳无比，太阳仿佛是一只突然浮现在太空中的猫眼，在它的凝视下，整个宇宙都变得诡异无比。

大牙爪子一颤，伊依掉到了平面上。待他们回过神来，他们都意识到另一个比太阳变绿更加令人震撼的事实：从这里到太阳，光需行走十几分钟，但这一切都发生在一瞬间！

半分钟后，太阳恢复原状，又发出耀眼的白光。

“看到了吗？这就是技术，是这种力量使我们的种族从海底淤泥中的鼻涕虫变为神。其实技术本身才是真正的神，我们都真诚地崇拜它。”

伊依眨着花了的双眼说：“但神并不能超越艺术。我们也有神，想象中的神，我们崇拜它们，但并不认为它们能写出李白和杜甫写的诗。”

神冷笑了两声，对伊依说：“真是一只无比固执的虫，让人更加厌恶。不过，为了消遣，就让我来超越一下你们的矩阵艺术。”

伊依也冷笑了两声：“不可能的。你不是人，不可能有人的心灵感受，人类艺术在你那里只是石板上的花朵。技术并不能使你超越这个障碍。”

“技术超越这个障碍易如反掌，给我你的基因！”

伊依不知所措，“给神一根头发！”大牙提醒说。伊依拔下一根头发，一股无形的吸力将头发吸向球体，那根头发又从球体中飘落到平面上，神只提取了发根带着的一点皮屑。

球体中的白光涌动起来，渐渐变得透明了，里面充满了清澈的液体，浮起串串水泡。接着，伊依在液体中看到了一个蛋黄大小的球，它在阳光中呈淡红色，仿佛自己会发光。小球很快长大，伊依认出那是一个蜷曲着的胎儿，他肿胀的双眼紧闭着，大大的脑袋上交错着红色的血管。胎儿继续成长，小身体终于伸展开来，像青蛙似的在液体球中游动着。液体渐渐变得浑浊了，透过液体球的阳光只映出一个模糊的影子，看得出那个影子仍在飞速成长，最后变成了一个游动着的成人的身影。这时液体球又成了透明的光球，一个赤裸的人从球中掉出来，落到平面上。伊依的克隆体摇摇晃晃地站了起来，阳光在他湿漉漉的身体上闪闪发光，他的头发和胡子很长，但看得出来只有三四十岁的样子，除了一样的精瘦，一点也不像伊依本人。克隆体僵僵地站着，呆滞的目光看着远方。球体的白光暗下来，最后完全熄灭了，球体本身也像蒸发似的消失了。但这时，伊依感觉什么东西又亮了起来，很快发现那是克隆体的眼睛，它突然充满了智慧的光芒。后来伊依知道，神的记忆这时已全部转移到克隆体中了。

“冷，这就是冷？！”一阵轻风吹来，克隆体双手抱住湿乎乎的双肩，浑身打战，但声音中充满了惊喜，“这就是冷，这就是痛苦，精致的、完美的痛苦，我在星际间苦苦寻觅的感觉。”他伸开皮包骨的双臂仰望银河，“前不见古人，后不见来者，念宇宙之……”一阵冷战使克隆体的牙齿咯咯作响，他赶紧停止了出生演说，跑到焚化口边烤火了。

克隆体把双手放到焚化口的蓝色火焰上烤着，哆哆嗦嗦地对伊依说：“其实，我现在进行的是一项很普通的操作，当我研究和收集一种文明的艺术时，总是将自己的记忆借宿于该文明的一个个体中，这样才能保证完全理解该艺术。”

这时，焚化口中的火焰亮度剧增，周围的平面上也涌动着各色的光晕，使伊依感觉整个平面像是一块漂浮在火海上的毛玻璃。

大牙低声对伊依说：“焚化口已转换为制造口了，神正在进行质——能转换。”发现伊依不太明白，他又解释说：“傻瓜，就是用纯能制造物品！”

制造口突然喷出了一团白色的东西，那东西在空中展开并落了下来，原来是一件衣服，克隆体接住衣服穿了起来，伊依看到那竟是一件宽大的唐朝古装，用雪白的丝绸做成，镶有宽大的黑边，刚才还一副可怜相的克隆体穿上后立刻显得飘飘欲仙。伊依实在想象不出它是如何从蓝色火焰中被制造出来的。

接着，从制造口飞出一块黑色的东西，像石头一样咚地砸在平面上。伊依跑过去拾起来一看，不管他是否相信自己的眼睛，他手中拿着的分明是一块石砚，而且还是冰凉的。接着又有什么东西掉下来，伊依拾起那个黑色的条状物，他没猜错，这是一块墨！接着出来的是几支毛笔、一个笔架、一张雪白的宣纸（从火里飞出的纸），还有几件古色古香的案头小饰品，最后被制造出来的也是最大的一件东西：一张样式古老的书案！伊依和大牙忙着把书案扶正，把那些小东西在案头摆放好。

“转化成这些东西的能量，足以把一颗行星炸成碎末。”大牙对伊依耳语，声音有些发颤。

克隆体走到书案旁，看着上面的摆设满意地点点头，一手捋着刚刚干了的胡子，说：

“我，李白。”

伊依审视着克隆体问：“你是说你想成为李白呢，还是真把自己当成了李白？”

“我就是李白，超越李白的李白！”

伊依笑着摇摇头。

“怎么，到现在你还怀疑吗？”

伊依点点头说：“不错，你们的技术远远超过了我的理解力，已与人类想象中的神力和魔法无异；在诗歌艺术方面的领悟也让我惊叹，隔着如此巨大的文化和时空的鸿沟，你竟能感受到中国古诗的内涵……但理解李白是一回事，超越他又是另一回事，我仍然认为你面对的是不可超越的艺术。”

克隆体——李白的脸上浮现出高深莫测的笑容，但转瞬即逝。他手指书案，对伊依大喝一声：“研墨！”然后径自走去。他几乎走到平面边缘时才站住，理着胡须遥望星河，沉思起来。

伊依从书案上拿起一把紫砂壶向砚上倒了一点清水，再拿起那条墨研了起来，他是第一次研墨，笨拙地斜着墨条磨边角。看着砚中渐渐浓起来的墨汁，伊依想到自己正身处距太阳1.5个天文单位的茫茫太空中，这个无限薄的平面（即使在刚才由纯能制造物品时，从远处看它仍没有厚度）仿佛是一个漂浮的舞台，在它上面，一只恐龙、一个被恐龙当作肉食家禽饲养的人、一个穿着唐朝服装准备超越李白的技术之神，正在上演一出怪诞到极点的闹剧。想到这里，伊依摇头苦笑起来。

觉得墨研得差不多了，伊依站起来，同大牙一起等待着。这时，平面上的轻风已经停止，太阳和星河静静地发着光，仿佛整个宇宙都在期待。李白静立在平面的边缘，由于平面上的空气层几乎没有散射，他在阳光中的明暗部分极其分明，除了理胡须的手不时动一下外，简直就是一尊石像。伊依和大牙等啊等，时间在静静地流逝，书案上蘸满了墨的毛笔渐渐有些发干了。不知不觉，太阳的位置已移动了很多，把他们和书案、飞船的影子长长地投在平面上，书案上平铺的白纸仿佛变成了平面的一部分。终于，李白转过身来，慢步走回书案前，伊依赶紧把毛笔重新蘸了墨，双手递了过去。但李白抬起一只手回绝了，只是看着书案上的白纸继续沉思着，他的目光中有了些新的东西。

伊依得意地看出，那是困惑和不安。

“我还要制造一些东西，那都是……易碎品，你们去小心接着。”李白指了指制造口说，那里面本来已暗淡下去的蓝色火焰又明亮起来，伊依和大牙刚刚跑过去，就有一股蓝色的火舌把一个球形物推了出来，大牙眼疾手快地接住了它，是一个大坛子。接着又从火焰中飞出了三只大碗，伊依只接住了其中两只，有一只摔碎了。大牙把坛子抱到书案上，小心地打开封盖，一股浓烈的酒香溢了出来，它与伊依惊奇地对视了一眼。

“在我从吞食帝国接收到的地球信息中，有关人类酿造业的资料不多，所以这东西造得不一定准确。”李白说，同时指着酒坛示意伊依尝尝。

伊依拿碗从坛中舀了一点儿抿了一口，一股火辣从嗓子眼流到肚子里。他点点头：“是酒，但是与为改善我们肉质喝的那些相比太烈了。”

“满上。”李白指着书案上的另一个空碗说。待大牙倒满烈酒后，他端起来一饮而尽，然后转身再次向远处走去，不时走出几个不太稳的舞步。到达平面边缘后，他又站在那里对着星空深思，与上次不同的是，此时他的身体有节奏地左右摆动，像是和着某首听不见的曲子跳舞一样。这次李白不一会儿就走回到书案前，回来走的全是舞步。他一把抓过伊依递过来的笔扔到远处。

“满上。”李白眼睛直勾勾地盯着空碗说道。

……

一小时后，大牙用两个大爪小心翼翼地把烂醉如泥的李白放到已清空的书案上，但他一翻身就掉了下来，嘴里嘀咕着恐龙和人都听不懂的语言。他已经红红绿绿地吐了一大摊（真不知他是什么时候吃的），宽大的衣服上都是秽物。那一摊呕吐物被平面发出的白光透过，形成一幅很抽象的图形。李白的嘴上黑乎乎的全是墨，这是因为在喝光第四碗酒后，他曾试图在纸上写什么，但只是把饱蘸墨汁的毛笔重重地戳到桌面上，接着，李白就像初学书法的小孩子那样，试图用嘴把毛笔捋顺……

“尊敬的神？”大牙伏下身来小心翼翼地问。

“哇咦卡啊……卡啊咦唉哇。”李白大着舌头说。

大牙站起身，摇摇头叹了一口气，对伊依说：“我们走吧。”

二　另一条路

伊依所在的饲养场位于吞食帝国的赤道上。当吞食帝国处于太阳系内层空间时，这里曾是一片夹在两条大河之间的美丽草原。吞食帝国航出木星轨道后，严冬降临了，草原消失，大河封冻，被饲养的人类都转到地下城中。当吞食帝国受到神的召唤返回后，随着太阳的临近，大地回春，两条大河很快解冻了，草原也开始变绿。

气候好的时候，伊依总是独自住在河边搭的一间简陋的草棚中，自己种地过日子。一般人是不允许这样的，但由于伊依在饲养场中讲授的古典文学课程有陶冶的功能，他学生的肉有一种很特别的风味，所以恐龙饲养员也就不干涉他了。

这是伊依与李白初次见面两个月后的一个黄昏，太阳刚刚从吞食帝国平直的地平线上落下，两条映着晚霞的大河在天边交汇。河边的草棚外，隐隐传来远处草原上欢快的歌声，伊依正和自己下围棋，抬头看到李白和大牙沿着河岸向这里走来。这时的李白已有了很大的变化，他头发蓬乱，胡子老长，脸晒得很黑，左肩背着一个粗布包，右手提着一个大葫芦，身上那件古装已破烂不堪，脚上穿着一双已磨得不像样子的草鞋。伊依觉得这时的他倒更像一个人了。

李白走到围棋桌前，像前几次来一样，不看伊依一眼就把葫芦重重地往桌上一放，说:“碗！”待伊依拿来两个木碗后，李白打开葫芦盖，把两个碗倒满酒，然后又从布包中拿出一个纸包并打开。伊依一看，里面竟放着切好的熟肉，香味扑鼻，不由拿起一块嚼了起来。

大牙站在两三米之外，静静地看着他们。根据前几次的经验，他知道他们俩又要谈诗了。对于这种谈话，他既无兴趣也没资格参与。

“好吃，”伊依赞许地点点头，“这牛肉也是纯能转化的？”

“不，我早就回归自然了。你可能没听说过，在距这里很遥远的一个牧场，饲养着来自地球的牛群。这牛肉是我亲自做的，是用山西平遥牛肉的做法……”

李白又指指葫芦说:“在我的指导下，吞食帝国建起了几个酒厂，已经能够生产大部分的地球名酒。这是它们酿制的正宗的竹叶青，是用汾酒浸泡竹叶而成。”

伊依这才发现碗里的酒与李白前几次带来的不同，呈翠绿色，入口后有淡甜的药草味。

“看来，你对人类文化已了如指掌了。”伊依感慨地说。

“不仅如此，我还花了大量的时间亲身体验。你知道，吞食帝国很多地区的风景与地球极为相似，这两个月来，我浪迹于山水之间，饱览美景，月下饮酒，山巅吟诗，还在遍布各地的人类饲养场中有过几次艳遇……”

“那么，现在总能让我看看你的诗作了吧？”

李白呼地放下酒碗，站起身不安地踱起步来：“我是作了一些诗，而且是些肯定能让你吃惊的诗，你会看到，我已经是一个很出色的诗人了，甚至比你和你的祖爷爷都出色。但我不想让你看，因为我同样肯定，你会认为那些诗没有超越诗人李白，而我自己……”他抬起头遥望着天边落日的余晖，目光中充满了迷离和痛苦，“也这么认为。”

远处的草原上，舞会已经结束。有一群少女跑向河边，在岸边的浅水中嬉戏。她们头戴花环，身上披着薄雾一样的轻纱，在暮色中构成一幅醉人的画面。伊依指着距草棚较近的一个少女问李白：“她美吗？”

“当然。”李白不解地看着伊依说。

“想象一下，如果取出她的每一个脏器，在这里铺上一大块白布，把这些东西按解剖学原理分门别类地放好，你还觉得美吗？”

“你怎么在喝酒的时候想到这些？恶心。”李白皱起眉头说。

“怎么会恶心呢？这不正是你所崇拜的技术吗？”

“你到底想说什么？”

“诗人李白眼中的大自然就是你现在看到的河边少女，而同样的大自然在技术的眼中呢，就是那张白布上井然有序地摆列的血淋淋的部件。所以，技术是反诗意的。”

“你好像对我有什么建议？”李白理着胡子若有所思地说。

“我仍然不认为你有超越诗人李白的可能，但可以为你的努力指出一个正确的方向：因为技术的迷雾蒙住了你的双眼，使你看不到自然之美，所以，你首先要做的是把那些超级技术全部忘掉。你既然能够把自己的全部记忆移植到你现在的大脑中，当然也可以删除其中的一部分。”

李白抬头和大牙对视了一下，两者都哈哈大笑起来。大牙对李白说：“尊敬的神，我早就告诉过您，虫虫很狡诈。您稍不小心就会跌入他们设下的陷阱。”

“哈哈哈哈，是狡诈，但也有趣。”李白对大牙说，然后转向伊依，冷笑着说：“你真的认为我是来认输的？”

“你没能超越人类诗词艺术的巅峰，这是事实。”

李白突然抬起一只手指着大河，问：“到河边去有几种走法？”

伊依不解地看了李白几秒钟：“好像……只有一种。”

“不，是两种，我还可以向这个方向走，”李白指着与河相反的方向说，“这样一直走，绕吞食帝国的大环一周，再从对岸过河，也能走到这个河岸边。我甚至还可以绕银河系一周再回来，对于我们的技术来说，这都易如反掌。技术可以超越一切！我现在已经被逼得要走另一条路了！”

伊依努力想了好半天，终于困惑地摇摇头："就算你有神一般的技术，我还是想不出超越诗人李白的另一条路在哪儿。"

李白站起来说："很简单，超越诗人李白的两条路：一是把超越他的那些诗写出来，二是把所有的诗都写出来！"

伊依更糊涂了，但站在一旁的大牙似有所悟。

"我要写出所有的五言和七言诗，我还要写出常见词牌的所有的词！你怎么还不明白？！我要在符合这些格律的诗词中，试遍所有汉字的所有组合！"

"啊，伟大！伟大的工程！！"大牙忘形地欢呼起来。

"这很难吗？"伊依傻傻地问。

"当然难，难极了！如果用吞食帝国最大的计算机来进行这样的计算，可能到宇宙末日也完成不了！"

"没那么多吧？"伊依充满疑问地说。

"当然有那么多！"李白得意地点点头，"但使用你们还远未掌握的量子计算技术，就能在可以接受的时间内完成这样的计算。到那时，我就写出了所有的诗词，包括所有以前写过的和所有以后可能写的，特别注意，所有以后可能写的！超越诗人李白的巅峰之作自然包括在内。事实上我终结了诗词艺术，直到宇宙毁灭，所出现的任何一个诗人，不管他们达到了怎样的高度，都不过是个抄袭者，他的作品肯定能从我那巨大的存储器中检索出来。"

大牙突然发出了一声低沉的惊叫，看着李白的目光由兴奋变为震惊："巨大的……存储器？！尊敬的神，您该不是说，要把量子计算机写出的诗都……都存起来吧？"

"写出来就删除有什么意思呢？当然要存起来！这将是我的种族留在这个宇宙中的艺术丰碑之一！"

大牙的目光由震惊变为恐惧，把粗大的双爪向前伸着，两腿打弯，像要给李白跪下，声音也像要哭出来似的："使不得，尊敬的神，这使不得啊！！"

"是什么把你吓成这样？"伊依抬头惊奇地看着大牙问。

"你个白痴！你不是知道原子弹是原子做的吗？那存储器也是原子做的，它的存贮精度最高只能达到原子级别！知道什么是原子级别的存贮吗？就是说一个针尖大小的地方，就能存下人类所有的书！不是你们现在那点儿书，是地球被吃掉前上面所有的书！"

"啊，这好像是有可能的，听说一杯水中的原子数比地球上海洋中水的杯数都多。那，他写完那些诗后带根针走就行了。"伊依指指李白说。

大牙恼怒至极，来回急走几步，总算挤出了一点儿耐性："好，好。你说，按神说的，把那些五言和七言诗，还有那些常见的词牌，各写一首，总共有多少字？"

"不多，也就两三千字吧，古曲诗词是最精练的艺术。"

"那好，我就让你这个白痴虫虫看看它有多么精练！"

大牙说着走到桌前，用爪指着上面的棋盘说："你们管这种无聊的游戏叫什么？哦，围棋。这上面有多少个交叉点？"

"纵横各19行，共361点。"

"很好，每点上可以放黑子、白子或空着，共三种状态，这样，每一局棋，就可以看作由三个汉字写成的一首19行361个字的诗。"

"这比喻很妙。"

"那么，穷尽这三个汉字在这种诗上的所有组合，总共能写出多少首诗呢？让我告诉你：3的361次方首诗，或者说，嗯，我想想，大约是10的172次方首诗！"

"这……很多吗？"

"白痴！"大牙第三次骂出这个词，"宇宙中的全部原子只有……啊……"它气得说不下去了。

"有多少？"伊依仍是那副傻样。

"只有10的80次方个！！你个白痴虫虫啊——"

直到这时，伊依才表现出了一点儿惊奇："你是说，如果一个原子存贮一首诗，用光宇宙中的所有原子，还存不完他的量子计算机写出的那些诗？"

"差得远呢！差10的92次方首诗呢！！再说，一个原子哪能存得下一首诗？人类虫虫的存储器，存一首诗用的原子数可能比你们的人口都多，至于我们，用单个原子存贮一位二进制还仅处于实验阶段……唉。"

“使者，在这一点上是你目光短浅，想象力不足，这也是吞食帝国技术进步缓慢的原因之一。”李白笑着说，“使用量子存储器，只用很少量的物质就可以存下那些诗，当然，量子存贮不太稳定，为了永久保存那些诗作，还需要与更传统的存贮技术结合使用，即使这样，制造存储器需要的物质量也是很少的。”

“是多少？”大牙问，看那样子显然心已提到了嗓子眼儿。

“大约为10的57次方个原子，微不足道，微不足道。”

“这……这正好是整个太阳系的物质量！”

“是的，包括所有的太阳系行星，当然也包括吞食帝国。”

李白最后这句话是轻描淡写地脱口而出的，但在伊依听来像晴天霹雳，不过大牙反倒平静下来，当长时间承受灾难预感的折磨后，灾难真正来临时反而有一种解脱感。

“您不是能把纯能转换成物质吗？”大牙问。

“得到如此巨量的物质需要多少能量你不会不清楚，这对我们也是不可想象的。还是用现成的吧。”

“这么说，皇帝的忧虑不无道理。”大牙自语道。

“是的是的，”李白欢快地说，“我前天已向吞食皇帝说明，这个伟大的环形帝国将被用于一个更伟大的目的，所有的恐龙都应该为此感到自豪。”

“尊敬的神，您会看到吞食帝国的行动的。”大牙阴沉地说，“还有一个问题：与太阳相比，吞食帝国的质量实在微不足道，为了得到这对太阳来说九牛之一毛的物质，有必要毁灭一个进化了几千万年的文明吗？”

“要知道，熄灭、冷却和拆解太阳需要很长时间，在这之前对诗的量子计算应该已经开始，我们需要及时地储存结果，清空量子计算机的内存以便继续计算。所以，立即用于制造存储器的行星和吞食帝国的物质是必不可少的。”

“明白了。尊敬的神，最后一个问题：有必要把所有的组合结果都存起来吗？为什么不能在输出端加一个判断程序，剔除那些不值得存贮的诗作呢？据我所知，中国古诗要遵循严格的格律。去掉不符合格律的诗，总量将大为减少。”

“格律？哼，”李白不屑地摇摇头，说，“那不过是对灵感的束缚，中国南北朝以前的古体诗并不受格律的限制，即使在唐代以后严格的近体诗中，也有许多古典诗词大师不遵循格律，他们写出了许多卓越的变体诗。所以，在这次终极吟诗中我将不考虑格律。”

“那，您总该考虑诗的内容吧？最后的计算结果中肯定有百分之九十九的诗是毫无意义的，存下这些随机的汉字矩阵有什么用？”

“意义？”李白耸耸肩说，“使者，诗的意义并不取决于你的认可，也不取决于我的或其他任何人的，它取决于时间。许多在当时无意义的诗后来成了旷世杰作，而现今和以后的许多杰作在遥远的过去肯定也曾是无意义的。我要作出所有的诗，亿亿亿万年之后，谁知道伟大的时间会把其中的哪首选为巅峰之作呢？”

“这简直荒唐！！”大牙大叫起来，它那粗犷的嗓音惊起了远处草丛中的几只鸟，“如果按现有的人类虫虫的汉字字库，您的量子计算机写出的第一首诗应该是这样的：

啊啊啊啊啊
啊啊啊啊啊
啊啊啊啊啊
啊啊啊啊唉

“请问，伟大的时间会把这首诗选为杰作？！”

一直不说话的伊依这时欢叫起来：“哇！还用什么伟大的时间来选？！它现在就是一首巅峰之作。前三行和第四行的前四个字都是表达生命对宏伟宇宙的惊叹，最后一个字是诗眼，它是诗人在领略了宇宙之浩渺后，有感于生命在无限时空中的渺小，而发出的一声无奈的叹息。”

“哈哈哈哈哈……”李白抚着胡须乐得合不拢嘴，“好诗，伊依虫虫，真的是好诗！呵呵呵……”说着，他拿起葫芦给伊依倒酒。

大牙挥起巨爪一巴掌把伊依打了老远：“混账虫虫，我知道你现在高兴了，可你不要忘记，吞食帝国一旦毁灭，你们也活不了！”

伊依一直滚到河边，好半天才爬起来，他满脸沙土，咧着大嘴，既是痛的也是在笑，他确实很高兴，“哈哈，有趣，这个宇宙真不可思议！”他忘形地喊道。

“使者，还有问题吗？”看到大牙摇头，李白接着说，“那么，我明天就要离去；后天，量子计算机将启动作诗软件，终极吟诗即将开始。同时，熄灭太阳、拆解行星和吞食帝国的工程也将启动。”

“尊敬的神，吞食帝国在今天夜里就能做好战斗准备！”大牙立正后庄严地说。

“好好，真是很好，往后的日子会很有趣的。这一切发生之前，还是让我们喝完这一壶吧。”李白快乐地点点头说，同时拿起了酒葫芦，倒完酒，他看着已笼罩在夜幕中的大河，意犹未尽地回味着：“真是一首好诗！第一首，哈哈，第一首就是好诗。”

三　终极吟诗

吟诗软件其实十分简单。用人类的C语言表达可能不超过2000行代码，另外再加一个存贮所有汉字字符的不大的数据库。当这个软件在位于海王星轨道上的那台量子计算机（一个漂浮在太空中的巨大透明锥体）上启动时，终极吟诗就开始了。

这时吞食帝国才知道，李白只是那个超级文明种族中的一个个体，这与以前预想的不同。之前，恐龙们都认为，进化到这样技术级别的社会在意识上早就融为一个整体了，吞食帝国在过去1000万年中遇到的五个超级文明都是这种形态。但李白这种神族保留了个体的存在，这也部分解释了他们对艺术超常的理解力。当吟诗开始时，李白一族又有大量的个体从外太空的各个方位跃迁到太阳系，开始了制造存储器的工程。

吞食帝国上的人类看不到太空中的量子计算机，也看不到新来的神族。在他们看来，终极吟诗的过程，就是太空中太阳数目的增减过程。

在吟诗软件启动一个星期后，神族成功地熄灭了太阳，这时太空中太阳的数目减到零，但内部核聚变的停止使太阳的外壳失去了支撑，它迅速坍缩成一颗新星，于是暗夜很快又被照亮，只是这颗太阳的亮度是以前的上百倍，使吞食帝国表面草木生烟。新星又被熄灭了，但过一段时间后又爆发了。就这样，亮了又灭，灭了又亮。神族对于杀死恒星其实很熟练，他们从容不迫地一次次熄灭新星，使它的物质最大比例地聚变为制造存储器所需的重元素，当新星第十一次熄灭后，太阳才真正咽了气。这时，终极吟诗已经开始了三个地球月。早在这之前，在第三次新星出现时，太空中就有其他的太阳出现。这些太阳此起彼伏地在太空中的不同位置亮起或熄灭，最多时天空中出现过九个新太阳。这些太阳是神族在拆解行星时的能量释放，由于后来太阳的闪烁已变得暗淡，人们就分不清这些太阳的真假了。

对吞食帝国的拆解是在吟诗软件启动后第五个星期进行的。这之前，李白曾向吞食帝国提出了一个建议：由神族将所有恐龙迁到银河系另一端的一个世界，那里有一个文明，比神族落后许多，仍未纯能化，但比吞食文明要先进得多。恐龙们到那里后，将作为一种小家禽被饲养。但恐龙们宁为玉碎不为瓦全，愤怒地拒绝了这个建议。

李白接着提出了另一个建议：让人类返回他们的母亲星球。其实，地球也被拆解了，它的大部分用于制造存储器，但神族还是用剩下的一小部分物质为人类建造了一个空心地球。空心地球的大小与原地球差不多，但其质量仅为后者的百分之一。说地球被掏空了是不确切的，因为原地球表面那层脆弱的岩石根本不可能用来做球壳，球壳的材料可能取自地核，另外球壳上像经纬线般交错的、虽然很细但强度极高的加固圈，是用太阳坍缩时产生的简并态中子物质制造的。

令人感动的是：吞食帝国不但立即同意了李白的建议，允许所有人类离开大环世界，还把从地球掠夺来的海水和空气全部还给了地球。神族借此在空心地球内部恢复了原地球所有的大陆、海洋和大气层。

接着，惨烈的大环保卫战开始了。吞食帝国向神族发射大量核弹和伽马射线激光，但这些对神族毫无作用。在神族发射的一个无形的强大力场推动下，吞食帝国的大环越转越快，最后在超速自转产生的离心力下解体了。这时，伊依正在飞向空心地球的途中，他从1200万千米之外目睹了吞食帝国毁灭的全过程：

大环解体的过程很慢，如同梦幻。在漆黑太空的背景上，这个巨大的世界如同一团浮在咖啡上的奶沫一样散开来，边缘的碎块渐渐隐没于黑暗之中，仿佛被太空溶解了，只有不时出现的爆炸的闪光才使它们重新显形。

这个来自古老地球的充满阳刚之气的伟大文明就这样被毁灭了，伊依悲哀万分。只有一小部分恐龙活了下来，与人类一起回归地球，其中包括使者大牙。

在返回地球的途中，人类普遍都很沮丧，但原因与伊依不同：回到地球后是要开荒种地才有饭吃的，这对于因长期被饲养而变得四肢不勤、五谷不分的人们来说，确实像一场噩梦。

但伊依对地球世界的前途充满信心，不管前面有多少磨难，人将重新成为人。

四　诗　云

吟诗航行的游艇到达了南极海岸。

这里的重力已经很小，海浪的运行很缓慢，像是一种描述梦幻的舞蹈。在低重力下，拍岸浪把水花送上十几米的高处，飞上半空的海水由于表面张力而形成无数水球，大的像足球，小的如雨滴。这些水球缓慢地下落，慢到可以用手在它们周围画圈，它们折射着小太阳的光芒，使上岸后的伊依、李白和大牙置身于一片晶莹灿烂之中。由于自转的原因，地球的南北极地轴有轻微的拉长，这就使得空心地球的两极地区保持了过去的寒冷状态。低重力下的雪很奇特，呈一种蓬松的泡沫状，浅处齐腰深，深处能淹没大牙，但在被淹没后，他们竟能在雪沫中正常呼吸！整个南极大陆就覆盖在这雪沫之下。

伊依一行乘一辆雪地车前往南极点，雪地车像是一艘掠过雪沫表面的快艇，在两侧激起层层雪浪。

第二天他们到达南极点。南极点的标志是一座高大的水晶金字塔，这是为纪念两个世纪前发生的地球保卫战而建立的纪念碑，上面没有任何文字和图形，只有晶莹的碑体在地球顶端的雪沫之上默默地折射着阳光。

从这里看去，整个地球世界尽收眼底，光芒四射的小太阳被大陆和海洋围绕着，使它看上去仿佛是从海洋中浮出来似的。

“这个小太阳真的能够永远亮着吗？”伊依问李白。

“至少能亮到新的地球文明进化到具有制造新太阳的能力的时候，它是一个微型白洞。”

“白洞？是黑洞的反演吗？”大牙问。

“是的，它通过空间蛀洞与200万光年外的一个黑洞相连。那个黑洞围绕着一颗恒星运行，它吸入的恒星的光从白洞被释放出来，可以把它看作一根超时空光纤的出口。”

纪念碑的塔尖是拉格朗日轴线的南起点，这是一条长为13000千米的零重力轴线。以后，人类肯定要在拉格朗日轴线上发射各种卫星，比起战前的地球来，这种发射易如反掌：只须把卫星运到南极或北极点，愿意的话用驴车运都行，然后用脚把它踹向空中就行了。

就在他们观看纪念碑时，又有一辆较大的雪地车载来了一群年轻的旅行者。他们下车后，双腿一弹，径直跃向空中，沿拉格朗日轴线高高飞去，把自己变成了卫星。从这里看去，有许多小黑点在空中标出了轴线的位置，那都是在零重力轴线上飘浮的游客和各种车辆。本来，从这里可以直接飞到北极，但小太阳位于拉格朗日轴线中部，最初有些沿轴线飞行的游客因随身携带的小型喷气推进器坏了，无法减速而一直飞向太阳，其实在距小太阳很远的距离他们就蒸发了。

在空心地球上，进入太空也是一件很容易的事，只需要跳进赤道上的五口深井（名叫“地门”）中的一口，向下坠落100千米穿过地壳，就被空心地球自转的离心力抛进太空了。

现在，伊依一行为了看诗云也要穿过地壳，但他们走的是南极的地门，在这里地球自转的离心力为零，所以不会被抛入太空，只能到达空心地球的外表面。他们在南极地门控制站穿好轻便太空服后，就进入了那条长100千米的深井，由于没有重力，叫它隧道更合适一些。在失重状态下，他们借助于太空服上的喷气推进器前进，这比在赤道的地门中坠落要慢得多，用了半个小时才来到外表面。

空心地球外表面十分荒凉，只有纵横的中子材料加固圈。当伊依一行走出地门后，看到自己身处一个面积不大的高原上，地球加固圈像一道道绵长的山脉，以高原为中心放射状地向各个方向延伸。

一抬头，他们看到了诗云。

诗云处于已消失的太阳系所在的位置，是一片直径为100个天文单位的旋涡状星云，形状很像银河系。空心地球处于诗云边缘，与原来太阳在银河系中的位置也很相似，不同的是地球的轨道与诗云不在同一平面，这就使得从地球上可以看到诗云的一面，而不是像银河系那样只能看到截面。但地球离开诗云平面的距离还远不足以使这里的人们观察到诗云的完整形状，事实上，南半球的整个天空都被诗云所覆盖。

诗云发出银色的光芒，能在地上照出人影。据说诗云本身是不发光的，这银光是宇宙射线激发出来的。由于空间的宇宙射线密度不均，诗云中常涌动着大团的光晕，那些色彩各异的光晕滚过长空，好像是潜行在诗云中的发光巨鲸。也有不少时候，宇宙射线的强度急剧增加，在诗云中激发出粼粼的光斑，如同月下的海面。

伊依把目光从诗云收回，从地上拾起一块晶片，这种晶片散布在他们周围的地面上，像严冬的碎冰般闪闪发亮。伊依举起晶片对着诗云密布的天空，晶片很薄，有半个手掌大小，正面看全透明，但把它稍斜一下，就看到诗云的亮光在它表面映出的霓彩光晕。这就是量子存储器，人类历史上产生的全部文字信息，也只能占它们每一片存贮量的几亿分之一。诗云就是由10的40次方片这样的存储器组成的，它们存贮了终极吟诗的全部结果。这片诗云，是用原来构成太阳和它的八大行星的全部物质所制造，当然还包括吞食帝国。

“真是伟大的艺术品！”大牙由衷地赞叹道。

“是的，它的美在于其内涵：一片直径100亿千米的，包含着全部可能的诗词的星云，这太伟大了！”伊依仰望着星云激动地说：“我，也开始崇拜技术了。”

一直情绪低落的李白长叹一声：“唉，看来我们都在走向对方，我看到了技术在艺术上的极限，我……”他抽泣起来，“我是个失败者，呜呜……”

“你怎么能这样讲呢？！”伊依指着上空的诗云说，“这里面包含了所有可能的诗，当然也包括那些超越诗人李白的诗！”

“可我却得不到它们！”李白一跺脚，飞起了几米高，在半空中卷成一团，悲伤地把脸埋在两膝之间呈胎儿状，在地壳那十分微小的重力下缓缓下落：“在终极吟诗开始时，我就着手编制诗词识别软件，这时，技术在艺术中再次遇到了那道不可逾越的障碍，到现在，具备古诗鉴赏力的软件也没能编出来。”他在半空中指指诗云，“不错，借助伟大的技术，我写出了诗词的巅峰之作，却不可能把它们从诗云中检索出来，唉……”

“智慧生命的精华和本质，真的是技术所无法触及的吗？”大牙仰头大声问诗云，经历过这一切，它变得越来越哲学了。

“既然诗云中包含了所有可能的诗，那其中自然有一部分诗，是描写我们全部的过去和所有可能与不可能的未来的，伊依虫虫肯定能找到一首诗，描述他在30年前的一天晚上剪指甲时的感受，或12年后的一顿午餐的菜谱；大牙使者也可以找到一首诗，描述它的腿上的某一块鳞片在五年后的颜色……”说着，已重新落回地面的李白拿出了两块晶片，它们在诗云的照耀下闪闪发光：“这是我临走前送给二位的礼物，这是量子计算机以你们的名字为关键词，在诗云中检索出来的与二位有关的几亿亿首诗，描述了你们在未来各种可能的生活。当然，在诗云中，这也只占描写你们的诗作里极小的一部分。我只看过其中的几十首，最喜欢的是关于伊依虫虫的一首七律，描写他与一位美丽的村姑在江边相爱的情景……我走后，希望人类和剩下的恐龙好好相处，人类之间更要好好相处，要是空心地球的球壳被核弹炸个洞，可就麻烦了……诗云中的那些好诗目前还不属于任何人，希望人类今后能写出其中的一部分。”

“我和那位村姑后来怎样了？”伊依好奇地问。

在诗云的银光下，李白嘻嘻一笑：“你们幸福地生活在一起。”

图书在版编目（CIP）数据

流浪的地球 / 刘慈欣著. -- 杭州 : 浙江教育出版社，2018.3（2021.3 重印）
ISBN 978-7-5536-7141-3

Ⅰ. ①流… Ⅱ. ①刘… Ⅲ. ①科学幻想小说 – 小说集 – 中国 – 当代 Ⅳ. ①I247.7

中国版本图书馆 CIP 数据核字（2018）第043508 号

责任编辑 栗 丽
文字编辑 张维宁
美术编辑 曾国兴
责任校对 谢 瑶
责任印务 刘 建
总 策 划 张荣梅
特约编辑 余以恒
特约设计 百色书香
封面插画 张伟英

流浪的地球

LIULANG DE DIQIU

刘慈欣 著

出版发行 浙江教育出版社
（杭州市天目山路40号 联系电话：0571-85170300-80928）
印刷装订 三河市嘉科万达彩色印刷有限公司
开 本 889mm × 1194mm 1/32
印 张 5.5
字 数 98千字
版 次 2018年3月第1版
印 次 2021年3月第10次印刷
标准书号 ISBN 978-7-5536-7141-3
定 价 29.00 元